Le Petit Carnet rouge

Données de catalogage avant publication (Canada)

Ouimet, Josée, 1954-
Le Petit Carnet rouge
(Collection Atout ; 105. Histoire)
Pour les jeunes de 12 ans et plus.
ISBN 2-89428-841-7

I. Titre. II. Collection : Atout ; 105. III. Collection : Atout. Histoire.

PS8579.U444P47 2005   jC843'.54   C2005-941470-7
PS9579.U444P47 2005

Les Éditions Hurtubise HMH bénéficient du soutien financier des
institutions suivantes pour leurs activités d'édition :

- Conseil des Arts du Canada ;
- Gouvernement du Canada par l'entremise du Programme
  d'aide au développement de l'industrie de l'édition (PADIÉ) ;
- Société de développement des entreprises culturelles du
  Québec (SODEC) ;
- Gouvernement du Québec par l'entremise du programme de
  crédit d'impôt pour l'édition de livres.

Éditrice jeunesse : **Nathalie Savaria**
Conception graphique : **Nicole Morisset**
Illustration de la couverture : **Janice Nadeau**
Mise en page : **Diane Lanteigne**

© Copyright 2005
Éditions Hurtubise HMH ltée
Téléphone : (514) 523-1523 · Télécopieur : (514) 523-9969
www.hurtubisehmh.com

ISBN 2-89428-841-7

Distribution en France
Librairie du Québec/D.N.M.
Téléphone : 01 43 54 49 02 · Télécopieur : 01 43 54 39 15
Courriel : liquebec@noos.fr

Dépôt légal/3e trimestre 2005
Bibliothèque nationale du Canada
Bibliothèque nationale du Québec

Imprimé au Canada

Josée Ouimet

Le Petit Carnet rouge

Collection **Atout**

Josée Ouimet aime imaginer des romans à partir de faits historiques authentiques. Elle réinvente le passé et fait revivre les émotions, les rêves et les espoirs de ceux qui ont vécu avant nous. Les récits des gens qui ont traversé le XXe siècle la fascinent de plus en plus.

Elle a publié, dans la même collection: *L'Orpheline de la maison Chevalier, Le Moussaillon de la* Grande-Hermine, *Une photo dans la valise, Le Secret de Marie-Victoire, Au château de Sam Lord* ainsi que *Trente minutes de courage.*

À Thérèse et à Jeanne,
qui m'ont inspiré cette histoire.

On rencontre sa destinée souvent par des
chemins qu'on prend pour l'éviter.
Jean de La Fontaine

PROLOGUE

À la fin de 1939, l'invasion de la Pologne par Adolf Hitler déclenche la Seconde Guerre mondiale. Après cinq années de batailles sanglantes, le monde apprend avec étonnement, et affolement, surtout, la mort de millions de gens, victimes de la folie du despote allemand. Horrifiés, les gouvernements de l'Amérique, de la France, de l'Angleterre, de la Russie et même de la Chine font le pacte d'en finir avec le régime de terreur des nazis. Une coalition se forme et, dans tous les pays alliés, l'effort de guerre se met en branle afin de rétablir la paix.

Au beau milieu du XXe siècle, à l'âge d'or de l'industrialisation, des garçons et des filles doivent quitter les bancs d'école, mettre leurs rêves en veilleuse et chausser les souliers de soldats et de travailleuses. De ce côté-ci de l'Atlantique, les bombes ne pleuvent pas, mais le cœur de l'Amérique du Nord bat à la cadence assourdissante des machines. Au Canada, le travail soutenu de milliers de personnes procure aux armées du Commonwealth ce dont elles ont besoin pour mener à bien leur mission.

L'histoire de Marie-Louise est peut-être celle de votre grand-mère ou de votre arrière-grand-mère.

Qui sait…

1

LA FIN DES RÊVES

— Tu ne peux pas faire ça! Tu ne peux pas nous faire ça!

Venant de la chambre de ses parents, ces paroles troublent le sommeil de Marie-Louise, qui ouvre les yeux.

Dans l'obscurité, les sens en alerte et le cœur battant, Marie-Louise remonte lentement la couverture jusque sous son menton. À ses côtés dans le lit trop étroit, ses sœurs cadettes, Armande et Antoinette, s'agitent. Traversant le couloir désert, les voix s'amplifient, les mots sont entrecoupés de «chut» et de jurons balbutiés.

— Torrieu! Ne me parle pas sur ce ton, mon gars!

Marie-Louise reconnaît la voix de son père, Damien: forte et autoritaire, puis celle, plus aiguë, de Clémentine, sa mère:

— N'oublie jamais que tu nous dois le respect, Germain!

La réplique de son frère aîné, mais surtout le détachement mesuré des syllabes qu'il prononce, laissent présager le pire:

— Vous ne m'en em-pê-che-rez pas! Ma décision est prise!

Marie-Louise comprend tout.

— Pas encore! soupire-t-elle.

Il y a quelques semaines à peine, au désespoir de ses parents, Germain s'est enrôlé dans l'armée de terre. Il est bien décidé à aller jusqu'au bout de ses convictions contre vents et marées, mais surtout contre son père, sa mère et tous ceux qui militent contre la participation du Canada à la guerre.

— Je dois me battre pour que la paix revienne dans le monde, a-t-il confié à sa cadette, un soir, assis sous le cerisier du jardin. J'admire tous ceux qui, sous le feu des mitraillettes des Allemands, ont foulé le sol de Dieppe le 6 juin 1944. J'aurais aimé être avec eux. Tu comprends?

Marie-Louise a acquiescé en silence.

— Tu es bien la seule qui me comprenne! Papa et maman, eux, ne se rendent pas vraiment compte de ce que vivent tous ces gens, là-bas.

Il a aspiré la fumée de sa cigarette avant de la rejeter d'un souffle rageur. Le bout incandescent de cette dernière a illuminé son regard furibond avant de se refroidir et de se transformer en cendres que Germain a fait tomber par terre d'un coup de doigt. Il a ensuite dodeliné de la tête avant de conclure :

— Je vais partir. Personne au monde ne m'en empêchera. Ça, je t'en passe un papier !

Marie-Louise a alors baissé les yeux, sachant très bien que pour en arriver à cet idéal de paix, Germain devait susciter un conflit au sein de sa propre famille.

Trois jours plus tard, Germain s'est présenté à la maison familiale, revêtu de l'uniforme kaki des combattants.

Le lourd silence que cette apparition avait provoqué a été suivi d'un torrent de questions entrecoupées de jurons et de pleurs. La colère et la déception ont fondu sur le pauvre Germain comme un vent de tempête.

* * *

Le claquement sec de la porte d'entrée fait sursauter l'adolescente et les deux fillettes endormies. Apeurée, la petite Armande geint et se tortille.

— Chuuuut, chuuuut, la rassure aussitôt son aînée en lui caressant doucement les cheveux.

La benjamine se tourne sur le côté et coince ses paumes sous son menton avant de retourner entre les bras de Morphée. Une fois le calme revenu, Marie-Louise tend de nouveau l'oreille. Des sanglots étouffés lui parviennent. Sans plus attendre, elle se soustrait à la chaleur bienveillante des couvertures et, avec mille précautions, quitte la chambre en tapinois.

En cette dernière semaine de mars 1945, les nuits demeurent fraîches et les planches glacées sous ses pieds nus font frissonner Marie-Louise. Elle croise ses bras sur sa poitrine et trottine vers la chambre de ses parents, juste à côté de la sienne. La porte entrouverte laisse filtrer un rai de lumière qui s'étire sur le parquet ciré. La jeune fille fait encore quelques pas, puis entend la voix de son père briser de nouveau le silence.

— Que veux-tu qu'on y fasse, ma pauvre femme! Il croit dur comme fer que c'est là son devoir. Il a la fierté de sa jeunesse. Ce n'est pas un mauvais garçon. Un peu téméraire, peut-être, mais pas mauvais pour une « cenne ».

— Pourquoi veut-il toujours partir loin d'ici et aller voir les vieux pays?

— L'attrait pour l'Europe est fort de nos jours. On en parle partout: dans les journaux, à la radio. C'est normal pour un gars curieux comme lui de vouloir y voir de plus près. C'est le goût de l'aventure.

— Il aurait quand même pu attendre notre permission!

— La lui aurais-tu seulement accordée?

Le mutisme de Clémentine est plus révélateur que n'importe quelle réponse.

— Il n'est pas dit qu'ils l'enverront au front par le premier bateau. Il n'est que réserviste, après tout, la rassure Damien.

— Et que va-t-il devenir pendant ce temps à frayer avec des matelots, des soldats et les autres étrangers qui vadrouillent dans les rues des villes de la province de Québec? Il paraît qu'ils se soûlent, qu'ils courent les jupons, qu'ils fument et...

— Ce sont des racontars, l'interrompt son mari.

— Je sais ce que je dis! s'insurge Clémentine, qui monte le ton. Germain est tellement influençable. Qui te dit qu'il ne les suivra pas? Hein? Mon père a toujours affirmé qu'avec les loups, il faut hurler.

Elle fait une pause avant d'enchaîner:

— Ils vont me le «gaspiller», j'en suis certaine!

Le bruit de ses sanglots emplit un moment le silence qui, le temps d'un battement de cils, a repris ses droits. Les ennuis, qui pointent le bout de leur nez, flottent dans l'air comme de la fumée. Sous le coup de vingt-trois heures, l'horloge fait entendre son refrain monotone. Marie-Louise tourne la tête vers la fenêtre ronde du meuble en bois de rose, cadeau de noces de l'oncle Damase.

— Qu'allons-nous faire pour l'argent, maintenant? geint Clémentine, avant de se moucher bruyamment. Germain nous a bien fait comprendre qu'il ne nous donnerait rien, car désormais il va demeurer à la caserne. Ton salaire à la Gaylord ne suffira pas à boucler le budget et je ne peux tout de même pas m'arracher la vue à coudre plus que je ne le fais déjà…

— Calme-toi, ma femme, l'interrompt de nouveau Damien. Tout va s'arranger. Tu verras.

Il pousse un profond soupir de lassitude avant d'ajouter :

— Maudite guerre…

— Oui, maudite guerre qui rationne les œufs, le lait et le sucre, grogne Clémentine, exaspérée. Depuis bientôt trois ans, elle nous fait vivre dans la misère. Voilà qu'en plus, elle nous arrache nos garçons !

Marie-Louise se redresse et frotte ses bras d'un geste nerveux.

La guerre…

Elle est si loin et si proche tout à la fois. Une guerre qui n'a d'égale que la folie d'un homme : Adolf Hitler, le führer. Un Allemand imbu d'une autorité totale. Meurtrière.

«Un fichu paranoïaque !» a résumé Damien.

Marie-Louise se souvient de trois phrases lues au hasard d'un coup d'œil fureteur dans un des bouquins que sa tante Delphine, la sœur de Clémentine, laisse toujours ouverts sur sa table de salon :

On tue un homme, on est un assassin. On tue des milliers d'hommes, on est un conquérant. On les tue tous, on est un dieu.

« Ce dictateur est assurément les trois à la fois », songe-t-elle.

Marie-Louise se rappelle aussi une visite chez son parrain Émile. En compagnie de sa mère et des autres, elle a écouté à la radio, une Marconi, les dernières nouvelles :

Avec horreur, le monde entier a appris l'existence des camps de concentration et, avec eux, les atrocités perpétrées au nom du nazisme. Les hommes, les femmes et les enfants rescapés de ce génocide et qu'une famine sans nom a réduits à l'état de survivants, nous ont parlé des sévices dont ils ont été victimes. Au moment où je vous parle, plusieurs charniers à ciel ouvert ont été trouvés. Les forces armées ont aussi fait la macabre découverte de fours crématoires et de chambres à gaz où des milliers de personnes ont péri.

Paul Dupuis et René Lecavalier, deux journalistes des plus populaires de la radio francophone de Radio-Canada venaient de fournir la preuve irréfutable de l'existence des camps de la mort.

Marie-Louise en a frissonné de dégoût.

Le ton rassurant de voix de son père la ramène à la réalité.

— Pour Germain, ne t'en fais pas, ma belle Clémentine. Il nous reviendra fier d'avoir collaboré à l'effort de guerre. En ce qui concerne l'argent qu'il nous versait pour sa pension, Marie-Louise va le remplacer et nous aider à joindre les deux bouts.

La jeune fille se raidit et crispe ses doigts sur le coton à pois de son pyjama.

— Mais elle vient juste d'avoir quatorze ans le mois dernier !

— Je le sais bien, ma femme, mais si on veut lui trouver un emploi respectable dans une usine où les conditions de travail sont assez acceptables, il ne faut pas trop attendre.

Il fait une pause avant de conclure :

— J'irai à Montréal, au bureau des Douanes et des Accises du gouvernement et je demanderai une dérogation.

— Tu penses que c'est faisable ?

— Claude Marchand, tu sais, l'ancien chauffeur d'autobus, m'a dit qu'il y est allé le mois dernier avec sa fille Blandine, qui a tout juste treize ans.

Claude m'a aussi raconté qu'il y avait une file de monde qui attendait. Il dit que les employés du gouvernement n'en finissent pas de signer des papiers semblables. On raconte que, quelquefois, ils n'exigent même pas de preuve de naissance ni la présence de l'enfant.

— Maudite guerre ! s'insurge Clémentine. Voilà qu'elle s'attaque à nos enfants maintenant !

L'avenir qui se dessine peu à peu ne présage rien de bon pour Marie-Louise qui ne bouge pas, un nœud dans la gorge.

— Pauvre Marie-Louise, conclut Clémentine avec un trémolo dans la voix. Pourra-t-elle seulement terminer son année scolaire ?

— S'il y a une place dans une manufacture, elle devrait commencer la semaine prochaine.

— Elle voulait tellement devenir institutrice.

— Elle ne sera pas la première à mettre ses rêves de côté. Tout le monde le fait. C'est la guerre qui veut ça. Nous n'avons pas le choix, ma femme. Dès demain, je vais donner son nom à l'usine de bas de nylon.

— La Gotham Silk Hosiery ?

— Oui.

— Je croyais que, dans cette usine, ils n'engageaient que des filles de seize ans.

— Il y a deux semaines, au Marché, j'ai rencontré madame Vertefeuille. Tu sais, la secrétaire de monsieur Egan, le grand patron de la Gotham ? Elle m'a affirmé que la pénurie de main-d'œuvre est tellement importante que la plupart d'entre eux, en accord avec les politiciens, ont changé leur fusil d'épaule et ont modifié les règlements d'embauche.

— Ils font ce qu'ils veulent avec la loi! se révolte Clémentine.

— En temps de guerre, la loi a bien des visages!

Le gémissement du sommier emplit un court instant la pièce.

— Marie-Louise aura beaucoup de peine, c'est certain, termine Clémentine dans un bâillement.

— Peut-être… soupire Damien. Au moins, elle n'aura pas de remords, car grâce à son nouveau travail, sa famille ne sera pas dans le besoin. C'est une bonne fille. Elle comprendra.

Immobile dans la pénombre, Marie-Louise comprend d'abord le sens ingrat des mots nécessité et sacrifice. En ce temps de guerre, rien n'est plus comme avant. L'étincelle qui lui avait fait croire que le soleil brillait peut-être un peu plus du côté des gens instruits vient de s'éteindre d'un seul coup. Elle comprend surtout le destin des femmes de son époque que l'autorité paternelle et cléricale garde sous sa gouverne. Dans quelque cinq années, tout au plus, elle devra envisager le mariage, avec tout ce que cela comporte de devoirs conjugaux et de multiples enfantements.

Les enfants…

Marie-Louise revoit en un éclair la nuit d'octobre où sa mère a failli mourir à cause d'un accouchement difficile. Une césarienne. L'enfant n'a pas survécu et Clémentine a dû garder le lit pendant près de quatre semaines.

Comme elle a eu peur !

Peur de voir mourir sa mère, d'abord. Peur ensuite de devoir, à onze ans, prendre sa place dans la hiérarchie familiale ; du moins, jusqu'à ce que son père trouvât une nouvelle épouse. Une marâtre à qui elle aurait dû se soumettre. De gré ou de force…

Ce soir encore, elle n'a pas le droit de choisir. Ce verbe, hélas, ne se conjugue qu'au conditionnel, agrémenté d'un « si » au début de chaque phrase et d'un « peut-être » à la fin de chaque rêve.

Rêves… Guerre… En ce printemps de 1945, les quatre petites syllabes de ces deux mots font tourner le monde à un rythme d'enfer.

Le rai de lumière disparaît brusquement. Seule dans le corridor, Marie-Louise baisse la tête. Une angoisse aussi lourde qu'un orage de juillet lui fait courber l'échine. Elle serre les dents et retient avec peine le sanglot qui lui noue la gorge. Sans plus attendre, elle fait volte-face et, sur la pointe des pieds, refait en sens inverse le chemin parcouru quelques minutes auparavant.

Lorsqu'elle pénètre dans la chambre, la respiration régulière des fillettes endormies l'apaise. Sans bruit, Marie-Louise marche vers le lit, se glisse délicatement entre les couvertures et adopte une position confortable. Étendue sur le dos, un bras sous la nuque, la jeune fille fixe le plafond que sa mère a récemment repeint en jaune maïs ; un reste de peinture déniché dans le vieux hangar de l'oncle Émile, et avec laquelle elle s'est empressée de rafraîchir la chambre des filles.

« Travailler à la Gotham Silk Hosiery. »

Les paroles de Damien résonnent dans sa tête comme autant de coups de tambour. Des larmes gonflent ses paupières, se fraient un passage entre ses cils, jusqu'à ses tempes, avant de se perdre dans la racine de ses cheveux retenus en nattes.

Ivre de peine et de rancœur contre le tyran allemand qui met le monde en déroute et lui vole ses rêves, Marie-Louise se tourne sur le côté, pose un bras protecteur sur sa bambine et ferme les yeux sur un vide ni sombre ni lumineux. Un vide privé de tout espoir…

Dehors, le miaulement d'une chatte en chaleur fait écho à la plainte muette de son cœur.

2

LE PREMIER PRIX

— Mes très chères élèves, bien que l'année ne soit pas encore terminée, nous voulons souligner le départ obligatoire de quelques-unes d'entre vous.

La religieuse toussote pour s'éclaircir la voix.

— Malgré le rationnement, mais surtout grâce à l'apport de généreux donateurs, sœur Angélique et moi avons le grand plaisir de remettre des prix aux élèves méritantes.

La mère supérieure de la congrégation des Sœurs de Saint-Joseph fait une pause et joint les mains sur sa robe de bure brune. Elle balaie la classe de son regard d'épervier avant de s'arrêter sur Marie-Louise qui, assise à son pupitre, garde le front baissé. La supérieure fait quelques pas sur l'estrade qui se dresse à l'avant de la classe.

— À toutes celles qui, ce matin, quittent l'école pour probablement n'y revenir jamais, je souhaite une vie remplie de joie, de dévotion et de bonheur au quotidien. Je prierai Dieu pour qu'Il vous accompagne tout au long de votre nouvelle vie.

Elle se tourne à demi vers la religieuse qui se tient en retrait.

— Sœur Angélique, je vous laisse le plaisir de faire la remise des prix.

Après un discret signe de remerciement, la titulaire de la classe de huitième année se lève et marche vers l'estrade alors que la mère supérieure, elle, prend place sur l'unique chaise.

— Je suis bien triste aujourd'hui, commence la petite femme rondelette, aux joues rouges d'émotion. Je souhaite cependant ardemment que vous n'oubliiez jamais que les livres renferment toutes les connaissances et que vous pouvez continuer de vous instruire grâce à la lecture. Ne cessez jamais de lire, je vous en prie. La société de demain aura besoin de femmes instruites et éduquées…

— Sœur Angélique ! l'interrompt la supérieure sur un ton de reproche.

La mère supérieure se lève et s'adresse aux élèves silencieuses.

— Un livre peut aussi être un outil de subversion si personne ne vous guide dans vos lectures, corrige-t-elle en balayant la classe de son regard dur. Soyez donc vigilantes et ne laissez pas les idées nouvelles et libérales, surtout celles qui nous viennent des vieux pays, je parle ici de la France en particulier, vous éloigner des dix commandements de Dieu et de vos devoirs de futures femmes. Le diable rôde. Partout. Même dans les livres.

Un long silence plane un moment dans la classe. La mère supérieure reprend place sur la chaise, laissant sœur Angélique, rouge de confusion et de colère, replacer ses lunettes cerclées d'or sur son nez retroussé avant de brandir une feuille devant son visage.

— En ce 5 avril 1945, nous avons l'honneur de remettre le premier prix à l'élève qui, tout au long de ces huit mois, est demeurée notre première de classe. J'ai nommé Marie-Louise Dufault.

Imitée de sœur Angélique, la supérieure applaudit avec enthousiasme pendant que la récipiendaire se lève lentement.

Elle est grande et mince dans son uniforme : une tunique marine cintrée à la taille par un ceinturon de même couleur. Ses cheveux bouclés d'un châtain foncé sont retenus en arrière par un élastique. Ses yeux, aux cils longs et au-dessus desquels deux fines lignes de sourcils se dessinent, sont d'un brun profond. Ses longues jambes fines sont recouvertes de bas épais de couleur beige. La blancheur immaculée de sa chemise de coton fait ressortir le hâle de son teint, mais aussi la rougeur inhabituelle qui colore ses joues. Marie-Louise fait quelques pas et s'arrête devant l'estrade sous les applaudissements de ses compagnes.

— Toutes mes félicitations, mademoiselle. Voici votre diplôme, lui dit la supérieure en lui tendant un minuscule parchemin roulé, retenu par un ruban bleu ciel.

— Merci, ma Mère, répond Marie-Louise d'une toute petite voix.

— Tout au long de vos études, vous avez fait preuve de persévérance et d'efforts. Vous avez donc le premier choix, mon enfant.

La religieuse tend le bras vers le coin droit de la classe. Une table recouverte d'une nappe de coton aux extrémités rehaussées par une dentelle de type Richelieu représentant les quatre saisons s'y dresse. Sur celle-ci repose une douzaine de prix et de cadeaux de toutes sortes.

Oubliant les regards envieux, les chuchotements animés de sournoises calomnies sur son statut de « chouchoute » de sœur Angélique, Marie-Louise court vers la table.

Elle aperçoit d'abord un ensemble de plumes fontaines en nacre gris. Voisinant cette petite merveille, un roman de la comtesse de Ségur. À droite, une flûte à bec en bois tendre. À gauche, une petite broche en forme de croix au centre de laquelle brille un minuscule zircon rose. Près de celle-ci, un chapelet de cristal de roche s'étale sur un étui de velours bourgogne.

Derrière elle, les murmures se font plus pressants.

— Silence, mesdemoiselles ! somme sœur Angélique.

Elle se tourne vers Marie-Louise, qui hésite toujours.

— Dépêchez-vous, mon enfant.

Marie-Louise tend aussitôt la main, touche les plumes fontaines du bout des doigts quand, éclatant entre le noir sombre d'une mantille de dentelle et la reliure d'un missel, un rectangle rouge attire son attention. C'est un minuscule carnet. Le cuir de sa reliure a la couleur du sang. Chacune des pages est bordée d'une mince couche d'or fin. Un crayon semblable à une cordelette dorée repose sagement dans le pli de la reliure. Gravé en lettres dorées sur l'écarlate, un mot :

Diary (Agenda)

Marie-Louise s'en empare puis, pivotant sur ses talons, elle retourne à sa place d'un pas pressé. Dans ses mains jointes, le minuscule carnet rouge irradie une chaleur mystérieuse.

3

LA NOUVELLE

— Montre-nous ton prix! réclame Antoinette, qui tourne autour de sa grande sœur occupée à peler des pommes de terre.

— Tantôt.

Antoinette fait la moue avant de disparaître dans le long corridor qui borde les chambres à coucher de la maison.

— Marie-Louise, as-tu mis du gros sel dans l'eau du chaudron?

— Oui, maman.

La jeune fille essuie ses mains sur son tablier brodé aux motifs printaniers, resserre un des bigoudis qui gonflent sa chevelure avant d'aller transvider les petits carrés de pommes de terre dans l'eau qui bouillonne. Des gouttelettes en jaillissent et viennent éclabousser le plancher à ses pieds.

— Attention de ne pas t'ébouillanter! lui intime Clémentine.

Elle lorgne sa fille du coin de l'œil avant d'enchaîner:

— Tu me sembles bien distraite, ce soir. Y a-t-il quelque chose qui ne va pas?

— Non, non. Ça va.

— Voilà un «non, non» pas très convaincu et encore moins convaincant!

Marie-Louise dépose le couvercle sur le chaudron. Elle s'empare de deux poignées de tissu sur le réchaud du poêle, ouvre la porte du fourneau, se penche et vérifie un moment la cuisson d'un pouding chômeur.

— Hum, ça sent bon! déclare-t-elle, avant de refermer la porte.

— Une chance qu'on a des recettes qui ne demandent pas d'œufs, comme ce pouding. Sinon, il faudrait se contenter de biscuits et de blanc-manger comme desserts. Maudit rationnement!

Le rationnement…

Depuis le début de la crise de 1929, les gens du monde entier sont rationnés. Les pauvres plus que les autres.

Hier encore, les jumelles Cadorette, dont la mère souffrant de la tuberculose est entrée au sanatorium et dont le père a perdu son emploi à la Gaylord, sont venues quêter quelques biscuits que Clémentine s'est empressée de leur donner.

— Pauvres petites! avait-elle soupiré lorsque ces dernières avaient disparu au détour de la maison voisine. Elles font pitié avec leurs robes tachées et décousues. Et dire qu'elles ne portent même pas de bas dans leurs souliers. Pourtant, ce ne sont pas les manufactures de bas qui manquent à Saint-Hyacinthe! Si j'étais à la direction de la Penmans Limited ou de la Victory Mills, je fournirais au moins une paire de bas par enfant vivant dans la région avant de les vendre aux États-Unis, au Mexique ou dans les vieux pays. Si ça ne fait pas pitié!

Marie-Louise baisse la tête et regarde ses chevilles autour desquelles ses bas de coton sont enroulés. Son père ragerait s'il la voyait ainsi. Damien déteste cette mauvaise manie et, pour ne pas attirer ses foudres, Marie-Louise en profite pendant son absence, mais s'empresse de les remonter et de replacer ses jarretières autour de ses cuisses lorsqu'elle l'entend rentrer.

Malgré les sacrifices auxquels toute la famille doit s'astreindre, elle se trouve bien chanceuse, car elle ne manque de rien. Bien qu'elle n'ait jamais acheté une robe, une jupe, une chemise, voire un chapeau dans un magasin, elle a de beaux vêtements, fruits des mains habiles de Clémentine.

Combien de fois l'a-t-elle vue découdre un vêtement qu'un oncle ou une vieille tante lui avait gentiment donné et en refaire un, tout nouveau, pour ses enfants.

Un Noël, Clémentine avait offert à Germain un manteau qu'elle avait confectionné dans la doublure d'un paletot usé que le vieil oncle Valmar lui avait légué. Comme Germain était content! Fier comme un pape, il l'avait étrenné le soir même à la messe de minuit.

— Tu es donc bien songeuse, ma Marie-Louise, remarque encore Clémentine en vérifiant la cuisson des pommes de terre, qu'elle pique du bout de son couteau pointu.

La jeune fille n'ose croiser le regard de sa mère.

— Je ne suis pas songeuse. Où allez-vous chercher une idée pareille ? répond-elle en allant vers l'armoire.

Elle en sort six assiettes qu'elle dépose l'une après l'autre sur la grande table.

— Je ne suis pas aveugle ! J'ai remarqué ton manque d'entrain, tes yeux rougis, ta mine grise. Et puis tu ne parles pas comme tu en as l'habitude chaque fois que tu reviens de l'école. Alors, si tu ne te languis pas de quelque chose, c'est que tu es malade.

— Je ne suis pas malade, rétorque Marie-Louise en relevant le front et en défiant le regard de sa mère. Et je ne me languis pas. Je suis triste. Voilà tout !

— À cause de l'école ?

— Vous le savez bien ! Pourquoi me le demandez-vous ?

Clémentine s'approche de sa fille et pose une main apaisante sur son épaule.

— Ne sois pas si aigrie. À la manu-facture, tu apprendras plein de choses. Tu verras…

— Ce ne sera jamais comme à l'école, l'interrompt Marie-Louise sur un ton de défi.

— Tu pourras toujours t'acheter des livres et t'instruire à temps perdu.

— Si je vous donne tout l'argent que je gagne, je ne pourrai pas m'en acheter.

Clémentine porte la main à son front qu'elle frotte d'un geste nerveux.

— Je trouverai bien un moyen de te laisser quelques sous pour des livres.

— Je ne veux surtout pas que vous travailliez plus que vous ne le faites déjà. Vous êtes si fatiguée. J'ai toute la vie devant moi pour lire et m'instruire, comme vous le dites.

Clémentine opine lentement de la tête avant de marcher vers le poêle à bois et de piquer de nouveau son couteau dans un carré de pomme de terre.

— Les patates sont-elles cuites ? Je vais les piler.

— Pas encore. Va plutôt chercher Armande et Antoinette et veille à ce qu'elles se lavent bien les mains.

Marie-Louise obéit et se dirige sans hâte vers la chambre des fillettes où résonnent des rires. D'un même élan, elle ouvre la porte et pénètre dans la pièce.

— Oh ! s'exclame Antoinette en cachant aussitôt quelque chose derrière son dos.

— Il est temps de souper. Papa va arriver d'une minute à l'autre et maman veut que…

Marie-Louise ne termine pas sa phrase. Elle fixe tour à tour les minois troublés de ses sœurettes.

— Qu'est-ce que vous mijotez, vous deux ?

— Rien, répond Armande en sautant au bas du lit recouvert d'une courtepointe multicolore.

— Rien, répète Antoinette, qui demeure immobile sur le lit.

— Que caches-tu là ? continue Marie-Louise.

— Rien du tout.

— Rien de rien, renchérit Armande en s'esquivant par la porte ouverte.

Certaine que les deux fillettes se sont immiscées dans ses secrets, Marie-Louise s'approche de sa benjamine et tend la main.

— Donne-moi ce que tu caches.

Sous l'œil furibond de sa grande sœur, Antoinette obéit aussitôt. Elle allonge le bras droit dévoilant le carnet rouge dont le cuir brille.

— Comment as-tu osé ? fulmine Marie-Louise.

Hors d'elle-même, l'aînée assène une claque retentissante sur la main de la fillette qui, en pleurs, court se réfugier dans la cuisine, son aînée sur les talons.

— Que se passe-t-il, ici ? demande Damien en franchissant le seuil de la porte d'entrée.

Surgissant dans le corridor comme une furie, les bas sur ses chevilles, Marie-Louise attire immédiatement son attention.

— MARIE-LOUISE, TES BAS ! tonne Damien.

Marie-Louise se penche à demi et s'empresse de remonter son bas droit, mais dans son élan, elle chancelle, trébuche contre le pied d'une table d'appoint et s'étale de tout son long sur le plancher de bois d'érable. Le carnet rouge vole un instant dans les airs avant de glisser jusqu'aux pieds de Clémentine, qui le ramasse et l'examine, intriguée.

— Qu'est-ce que c'est ? demande-t-elle en brandissant l'objet devant son nez.

— C'est mon prix de fin d'année ! Elles ont encore fouillé dans mes affaires, vocifère Marie-Louise, ivre de colère.

Elle se remet sur ses pieds, marche vers sa mère et, d'un geste vif, lui arrache le carnet des mains.

— Quand vais-je enfin avoir ma chambre à moi toute seule ? Quand vais-je pouvoir vivre en paix sans ces deux fouineuses qui ne respectent jamais mon intimité ?

— Nous n'avons pas assez d'espace, tu le sais, tente de la calmer sa mère.

— Philippe est seul dans une grande chambre depuis que Germain est parti. Pourquoi les filles ne coucheraient-elles pas avec lui ?

— Ça ne se fait pas, coupe sa mère. Les filles avec les filles et les garçons…

— Ce n'est pas juste ! coupe irrespectueusement Marie-Louise.

— ÇA SUFFIT !

La voix de Damien résonne un long moment dans le corridor.

Marie-Louise se renfrogne, baisse la tête, le petit carnet serré entre ses mains crispées.

— Demande pardon à ta mère d'avoir crié comme tu viens de le faire, lui ordonne-t-il sur un ton sans réplique.

— Pardon, marmonne Marie-Louise.

— Bon! Maintenant, montre-moi l'objet de toute cette querelle.

Marie-Louise se soumet en silence. Pendant ce temps, Clémentine retourne à ses chaudrons alors qu'Antoinette et Armande courent vers la salle de bains.

— C'est un bien joli carnet. Le stylo est tellement minuscule!

Il le lui remet avant d'enchaîner:

— Je suis certain qu'il te servira à inscrire tes prochains rendez-vous et peut-être aussi les noms des nouvelles amies que tu te feras à la manufacture.

— Que veux-tu dire? interroge Clémentine, inquiète de connaître déjà la réponse.

— Madame Vertefeuille me l'a confirmé cet après-midi. Notre Marie-Louise est engagée et commence à travailler dès demain matin, sept heures.

— Déjà!?! s'exclame l'infortunée.

Prise d'un soudain vertige, la jeune fille s'adosse au mur derrière elle.

La manufacture…

Elle a tellement entendu de racontars, de rumeurs et d'histoires à faire dresser les cheveux sur la tête à propos de ces manufactures. Comment pourra-t-elle survivre dans ce monde où les machines ronronnantes et vrombissantes règnent sur une fourmilière de travailleurs et de travailleuses qui y peinent des journées entières ? Comment arrivera-t-elle à accomplir une besogne qui lui demandera au moins cinquante heures de travail par semaine en plus de tout ce qu'elle doit exécuter à la maison pour aider sa mère ?

Damien s'approche de Marie-Louise et, d'un geste tendre, lui caresse la joue.

— Ne fais pas cet air-là. Tu verras, tout ira bien. En ce qui a trait à la chambre, je vais voir ce que je peux faire, ajoute-t-il avec un clin d'œil complice.

Marie-Louise lui sourit tristement.

— Surtout, habitue-toi à porter tes bas correctement. J'ai ouï dire que monsieur John Egan lui-même vérifie la tenue de ses six cent quatre-vingts employées. Il est très pointilleux. Souviens-toi de ça.

La porte d'entrée s'ouvre en coup de vent. Un grand garçon efflanqué d'à peine seize ans, vêtu d'un complet marine et d'une cravate rayée, fait irruption dans la maison.

— Hum, ça sent bon, ici ! J'ai une faim de loup !

— Bonjour, Philippe, lui dit son père. Tu as eu une bonne journée?

Avant de répondre, il enlève sa casquette grège qu'il lance plus qu'il ne la dépose sur un des crochets à droite de la porte d'entrée.

— Il y avait un monde fou à la pharmacie. Surtout au comptoir photo. À croire que tous les jeunes mariés se sont donné le mot pour faire développer leurs photographies en même temps.

— C'est compréhensible, beaucoup de jeunes gens de ton âge ont convolé en justes noces pour éviter la conscription, explique Clémentine.

— Si je suis appelé à la guerre, je vais faire de même, renchérit Philippe.

En passant à côté de Marie-Louise, il la gratifie d'une chiquenaude sur le bras.

— Alors, mademoiselle l'institutrice, ça va?

— Cesse de la taquiner, le réprimande sa mère. Elle vient tout juste d'apprendre qu'elle commence à travailler demain.

— Elle devrait être contente! La Gotham Hosiery est une bonne manufacture. En marchant jusqu'ici, j'ai croisé Micheline, la fille de Samuel Dupré.

Elle m'a annoncé que sa sœur Angèle commence demain à la Consolidated Textiles.

— Elle n'a que treize ans! s'indigne Clémentine.

— Il manque de main-d'œuvre, justifie Philippe.

— Ce n'est pas une raison! se récrie Marie-Louise, révoltée. Sœur Angélique nous a déjà parlé des pauvres enfants qui vivent en Chine et qui triment dur des journées entières dans des usines. Ils y laissent souvent leur santé et même leur vie.

— Allons donc! rétorque Philippe. Nous ne sommes pas en Chine et, à treize ans, une fille n'est plus une enfant. De toute manière, ça fait longtemps qu'elle a quitté l'école, la belle Angèle. Elle sera mieux payée à la Conso que dans la famille du notaire où elle travaille comme servante depuis un an.

Pleine de rancœur, Marie-Louise pivote sur ses talons et disparaît dans sa chambre.

— On soupe dans deux minutes, lui crie Clémentine du fond de la cuisine.

— Je n'ai pas faim!

— Je n'aurais pas cru qu'elle aurait tant de difficulté à accepter sa nouvelle vie, déclare son père en faisant la moue.

— Ça lui déchire le cœur, si tu veux le savoir, réplique Clémentine.

Elle marche vers le poêle à bois et ouvre la porte du fourneau. Le parfum sucré du pouding chômeur emplit la cuisine.

— Laissons-la un peu tranquille. Elle nous rejoindra quand elle se sera calmée, conclut Damien.

Dans la pièce, un malaise flotte alors que le tic tac incessant de l'horloge marque les secondes qui passent et ne reviennent jamais.

4

UN AUTRE MONDE

Le hurlement des sirènes déchire l'air. Une meute de travailleuses et d'ouvriers déambule à pied ou à bicyclette sur les trottoirs, se pressant vers les usines qui longent la voie ferrée, propriété du Canadien National, une des compagnies de chemin de fer dont les convois acheminent les produits manufacturés vers les centres militaires. Des usines, il y en a partout et de toutes sortes. Avec leurs hautes cheminées de briques rouges qui crachent une vapeur blanche, nuit et jour, été comme hiver, elles forment une véritable cité industrielle qui s'étend de la rue Sainte-Anne au boulevard Laframboise.

Une ville dans la ville…

Marie-Louise se rappelle vaguement les champs qui, quelques années auparavant, se prolongeaient jusqu'au nord et à l'ouest de Saint-Hyacinthe. L'horizon s'étirait alors à perte de vue. Mais depuis le début de la guerre, les usines bouchent la ligne d'horizon avec leurs murs de pierres. Leurs sirènes emplissent le ciel, rivalisant avec les chants des oiseaux devenus plus criards ou plus craintifs. La vie à Saint-Hyacinthe, autrefois paisible, est moins monotone, plus trépidante peut-être, mais tellement différente.

Envahie par un mélange d'émotions contradictoires, Marie-Louise avance comme un automate. Son angoisse grandit à chaque pas. Sa respiration saccadée fait se soulever sa poitrine dont le lainage du gilet épouse les rondeurs. Prise d'un vertige, la jeune fille ferme les yeux, porte une main à son front et s'appuie contre un mur tout près.

— Ça va ? demande une voix flûtée.

Marie-Louise ouvre les yeux. Lui faisant face, une jolie rouquine d'à peu près seize ans pose sur elle un regard mi-curieux, mi-intrigué.

— Ça va ? répète la jeune fille en se rapprochant un peu plus.

— Oui. Merci.

Marie-Louise ne sait plus quelle attitude adopter. Elle voudrait tant que son malaise passe inaperçu. Pourtant, son teint blafard dément assurément le flegme qu'elle tente vainement d'afficher.

— C'est ta première journée, ici, hein?

Marie-Louise acquiesce en silence.

— As-tu déjà travaillé dans une autre usine?

Marie-Louise fait non de la tête.

— Comme bonne à tout faire dans une famille riche, alors?

— Non, articule enfin Marie-Louise qui s'éloigne du mur. J'ai quitté l'école hier.

Elle fait quelques pas, lorgne d'abord la porte à droite où s'engouffrent des filles et des femmes de tous les âges. Sur la gauche, des hommes grimpent un escalier à toute vitesse.

— Tu es morte de peur, ça se voit! remarque son interlocutrice.

Marie-Louise tourne vers elle une mine confuse.

— Tu sais, on a toutes peur la première fois. Après quelques semaines, on s'habitue. Ce n'est pas si dur de travailler ici. Tu verras!

Elle fait une pause, ajuste le ceinturon de tissu qui met en valeur sa taille de guêpe, se retourne et jette un coup d'œil à la ligne des bas de soie «six heures» qu'elle porte fièrement et qui monte, sur ses mollets.

Marie-Louise en profite pour la détailler.

Cette fille mesure à peine un mètre soixante. Juchée sur des escarpins à talons aiguilles, elle se tient bien droite, l'œil clair. Ses cheveux roux sont bouclés à la mode parisienne. Sa bouche brillante sous le carmin d'un rouge à lèvres ressemble à un bouton de fleur entrouvert.

— Je m'appelle Alexandrine, déclare-t-elle tout de go. C'est un vieux nom que je déteste! Aussi, je dis à tout le monde de m'appeler Alex. Ça fait plus à la mode. Tu ne trouves pas?

Marie-Louise acquiesce.

— Et toi, comment t'appelles-tu? demande la belle rouquine en replaçant un pli récalcitrant de sa jupe de coton à pois noirs.

— Marie-Louise.

— Marie-Louise! Pouah! Quel vieux nom aussi!

Elle prend son temps, pose un doigt ganté sur sa joue et examine de pied en cap la pauvre Marie-Louise qui ne bouge pas d'un cil.

— Marilou! s'exclame-t-elle enfin.

— Quoi?

— Désormais, je t'appellerai Marilou. Ça te plaît?

Marie-Louise pouffe d'un rire nerveux.

— À la bonne heure! s'écrie Alex en tapant des mains. Tu peux sourire.

Elle se tourne vers des camarades de travail qui passent par là et les prend à témoin:

— Elle a souri. J'ai réussi à la faire sourire. Youpi!

Sans crier gare, elle s'approche de Marie-Louise, passe un bras sous le sien et l'entraîne vers l'escalier que les femmes ont déserté.

— Je vais te présenter à madame Delisle. C'est la contremaîtresse, mais c'est aussi ma tante. Tu vas voir. Malgré son air sévère, c'est une vraie mère poule.

C'est avec un entrain non feint que les deux nouvelles amies gravissent l'escalier sous l'œil vigilant d'un surveillant à l'affût des retardataires.

Le cri strident des sirènes fend l'air, donnant le signal d'un nouveau départ pour Marie-Louise qui disparaît derrière la large porte de la manufacture.

* * *

— Et maintenant, tu places les bas par paires : les numéros six ensemble, les numéros huit ensemble, et ainsi de suite. Ce n'est pas compliqué, n'est-ce pas ?

Pauline Delisle se redresse et observe le travail de Marie-Louise.

— Je préfère te faire commencer par le plus facile : les mettre par paires. Ensuite, je te montrerai à coudre les talons et les bouts des pieds. As-tu déjà fait de la couture ?

Marie-Louise hoche la tête en signe de négation.

— Bon ! Alors, je t'entraînerai à devenir examinatrice. C'est plus sûr.

La contremaîtresse se penche vers la jeune fille qui demeure figée, plusieurs paires de bas de nylon reposant sur ses épaules, ses avant-bras, ses mains et ses cuisses. Il y en a partout, de toutes les grandeurs et de toutes les couleurs :

des rouges, des verts, des bruns. Ces bas d'un nylon extrêmement fin seront teints en noir ou en beige. Au bout de chacun d'eux, se trouve une minuscule étiquette sur laquelle est inscrit un chiffre correspondant à une taille précise.

— Attends, dit soudain madame Delisle. Montre-moi tes mains.

Intriguée, Marie-Louise obéit.

— C'est bien ce que je pensais.

Elle lève la tête et crie d'une voix tonitruante:

— Laurette?

Se hissant sur la pointe des pieds, elle pose ses poings sur ses hanches avant de jeter un regard circulaire sur la salle où, assises en rang d'oignons, une centaine de travailleuses peinent, le dos courbé sur leur machine.

— Laurette! crie-t-elle plus fort.

Tout au fond de la pièce, une grande femme relève le front. Avec force gestes, la contremaîtresse l'invite à venir la rejoindre.

— Qu'est-ce que je peux faire pour toi, ma Pauline?

L'interpellée désigne Marie-Louise du menton, avant de lui expliquer:

— Voilà une recrue qui n'a pas goûté à ta lime et à ton coupe-cuticules.

— Tiens, tiens! Elle m'a échappé, celle-là?

Les deux comparses rient de bon cœur devant la mine effarée de la pauvre Marie-Louise qui ne sait pas quel sort lui réserve cette nouvelle venue aux joues creuses, au rouge à lèvres d'un rose particulier et à l'air d'un policier en service.

— Montre! dit Laurette en s'emparant de la main droite de Marie-Louise, qui résiste un peu.

Laurette s'installe sur un petit tabouret qui dormait tout près, sort de sa poche un coupe-ongles, un coupe-cuticules ainsi qu'une énorme lime à ongles.

— Laisse-toi faire, je ne te ferai pas mal.

À l'aide d'une petite tige de bois à l'une des extrémités aplatie, d'un geste sûr, Laurette repousse la peau qui s'accroche à la racine des ongles et en dégage les lunules avant de couper les cuticules qui retroussent. Elle s'empare ensuite du coupe-ongles et sculpte l'arrondi de chacun des ongles avant de les limer avec soin.

— Voilà! dit-elle, une fois la besogne terminée. Comme ça, tu ne feras pas de mailles dans les bas que tu vas manipuler.

Elle jette un regard par-dessus son épaule à Pauline.

— C'est du beau travail, non?

— Toujours aussi professionnelle, ma Laurette! confirme Pauline Delisle.

Les deux amies échangent un sourire de connivence tandis que Marie-Louise examine ses ongles dont la nacre rosée brille sous la lumière des néons bas.

— Tu pourras mettre du vernis dessus, si tu veux. Ce sera joli. Tu as de très belles mains. Et quels beaux doigts longs et fins! De vrais doigts de pianiste! affirme Laurette.

Elle tend ses mains aux doigts courts et osseux devant elle et les compare à ceux de Marie-Louise.

— Il y en a qui ont de la chance! soupire-t-elle. Aurais-tu aimé jouer du piano?

— Non, je voulais devenir institutrice, répond Marie-Louise, un léger tremblement dans la voix.

— Bah! Tu es jeune, tu auras le temps de réaliser tous tes rêves quand la guerre sera finie. Tandis que nous…

Elle prend sa copine à témoin avant de continuer:

— Avec la marmaille, le travail, les maris et tout le reste, notre temps est pas mal compté. Pas vrai, ma Pauline?

Son amie acquiesce en hochant la tête tristement.

Laurette se relève pesamment.

— En tout cas... soupire-t-elle en frictionnant son épaule droite visiblement endolorie.

Elle se dresse devant Marie-Louise, qui tourne la tête vers cette femme d'un peu plus de trente ans que les labeurs de la vie ont marquée de rides apparentes. Celle-ci lui offre, sans le savoir, le reflet de l'abnégation des femmes de ce pays qui ont troqué leur jeunesse et leurs rêves contre une famille et, parfois, l'amour.

— Bienvenue à la Gotham Hosiery, jeune fille aux doigts de pianiste, dit-elle avant de prendre congé.

Marie-Louise lui sourit et la regarde se diriger vers une femme au bras levé dont l'imposante chevelure cuivrée est retenue par un fichu de couleur claire.

— Bon, au travail maintenant! déclare Pauline sur un ton expéditif. Essaie de rassembler le plus de paires possible. N'oublie pas que tu es payée à l'ouvrage, pas à l'heure.

Sans un mot, Marie-Louise s'exécute en vitesse.

— Si tu as besoin de moi, tu n'as qu'à lever la main, comme tu le faisais à l'école.

Marie-Louise se penche davantage sur son ouvrage, sans un remerciement pour la contremaîtresse qui s'empresse à son tour vers une ouvrière à la main levée. Au même moment, un bas rouge glisse de son épaule et va choir sur son genou. Marie-Louise le replace. Ce faisant, elle aperçoit la jeune femme assise en face d'elle et note ses yeux rougis et embués de larmes, ses lèvres tremblotantes, sa mine déconfite. Elle croise son regard.

— Tu veux mon portrait?

Le ton cinglant fait l'effet d'une gifle à Marie-Louise.

— Heu… je… non… bafouille-t-elle.

— Alors, arrête donc de me dévisager!

Embarrassée, Marie-Louise reporte son attention sur les bas qui la recouvrent, s'appliquant à la tâche sans lever les yeux, de peur de subir de nouveau la vindicte de cette jeune personne au bien mauvais caractère.

* * *

Trois heures plus tard, le hurlement de la sirène annonce la pause du matin. Marie-Louise reste sur sa chaise, ne sachant trop quoi faire ni où aller. Heureusement, Alex la rejoint.

— Viens, on va prendre l'air.

Elle l'entraîne à sa suite entre les machines et les bacs débordant de bas jusqu'à l'escalier qui les mène à la sortie.

Dans la cour gazonnée où trônent des tables à pique-nique en bois teint, Marie-Louise s'informe aussitôt :

— La fille qui travaille en face de moi, tu la connais ?

— C'est Germaine Dicaire.

Alex sort une cigarette d'un petit étui argenté, en glisse le bout filtre entre ses lèvres avant de l'allumer à l'aide d'un briquet.

— Elle n'a pas l'air très affable. Tout à l'heure, elle m'a apostrophée d'une drôle de manière. Je ne faisais que la regarder distraitement et…

— C'est à cause de son amoureux, coupe Alex. Il est reparti en Australie.

— Ça fait longtemps ?

— Un mois. Peut-être un peu plus.

— Elle doit s'ennuyer beaucoup.

— Si ce n'était que ça !

— Que veux-tu dire ?

Alex prend une nouvelle bouffée de la cigarette dont le bout devient incandescent. Après avoir longuement aspiré la fumée, elle la rejette avant de répondre :

— Il paraît qu'elle est enceinte.

— Quelle triste histoire ! Je n'aimerais pas être à sa place et ne plus avoir de nouvelles de mon mari. Quel cauchemar !

Alex se rapproche d'elle et précise sur le ton de la confidence :

— C'est bien là le véritable drame : elle n'est pas mariée.

Cette révélation laisse Marie-Louise sidérée.

Très jeune, elle a entendu une discussion entre sa mère et son frère Germain. Clémentine a clairement mis l'aîné des Dufault en garde contre les filles « faciles » ou de « mauvaise vie ».

— Tiens-toi loin des maisons closes, a-t-elle clairement signifié à son fils.

Marie-Louise savait qu'il y avait des lieux de perdition, comme les nommait le curé Coderre lorsqu'il prêchait en chaire le dimanche, des lieux interdits de fréquentation par la religion et dans lesquels les escouades de la moralité faisaient régulièrement des descentes. Elle croyait pourtant que ces filles ne couraient pas les rues et étaient recluses dans des chambres sombres et sordides de certains immeubles qui avaient pignon sur rue dans la grande ville de Montréal. Plus d'une fois, sœur Angélique avait expliqué qu'une seule visite de ces maisons closes menait directement en enfer. Elle avait ponctué ses propos d'images d'apocalypse tirées du grand catéchisme qui trônait toujours sur son pupitre.

— Des damnées, murmurait-elle avant de faire le signe de la croix.

Effrayée, Marie-Louise s'était juré de ne jamais y mettre les pieds et, surtout, avait ardemment souhaité ne jamais rencontrer de ces créatures qui y vivaient. Voilà qu'aujourd'hui, une tout autre réalité lui apportait un éclairage différent. Il ne lui était pas venu à l'idée que des filles d'à peu près son âge, vivant dans sa ville, pouvaient se donner à un homme avant le mariage.

Le hurlement de la sirène fait se relever les ouvrières qui se hâtent vers l'usine. Alex prend bien son temps, aspire une nouvelle fois la fumée avant de jeter par terre le mégot de sa cigarette et de l'écraser vigoureusement sous son escarpin.

— Vite ! On va être en retard ! lui crie Marie-Louise en la précédant dans l'escalier.

— J'arrive ! J'arrive !

Marie-Louise risque un œil vers la pauvre Germaine qui, toujours appuyée contre le mur ouest de l'édifice, replie lentement une lettre froissée. Elle la garde un moment contre ses lèvres, la pose sur son cœur avant de la faire disparaître dans la poche de sa robe. Son regard rencontre celui de Marie-Louise pour la deuxième fois.

— Dépêchons-nous ! lui dit Alex en la poussant dans le dos.

En courant et en riant, les deux nouvelles copines s'engouffrent dans l'usine pour une autre partie de labeur.

5

L'IMPORTUN

Huit jours se sont écoulés depuis que Marie-Louise a mis les pieds pour la première fois à la Gotham Hosiery.

— Tenez, maman! Quinze dollars et soixante-seize cents, dit Marie-Louise en déposant l'argent sur la table de la cuisine.

— Ce n'est pas si mal, pour une première semaine!

— J'ai travaillé fort, très fort, même. J'ai trié au moins deux mille paires de bas, c'est certain! La contremaîtresse est très contente de moi. Elle m'a assuré que, dès lundi prochain, je vais être examinatrice. C'est un travail plus difficile, mais beaucoup plus payant.

L'espace d'un battement de cœur, Marie-Louise se remémore le vendredi, journée de sa promotion. Elle a subi une grande tension, se demandant si elle pourrait tout assimiler. Elle se revoit, des douzaines de paires de bas sur les cuisses, assise sur une chaise plus qu'inconfortable. Elle sent encore sous son pied la pédale qui écarte d'un mouvement sec et régulier la forme en métal sur laquelle elle enfile les bas, un à la fois. Elle ressent encore le picotement dans ses yeux fatigués par le rayonnement des néons se reflétant sur sa table de travail, les maux de tête qui l'ont minée dès les premières secondes.

La jeune fille frictionne sa nuque où une tension demeure.

— Tu seras payée à l'ouvrage ?

— Oui. Il faudra que j'augmente le rythme si je veux gagner plus d'argent chaque semaine.

— L'important, réplique sa mère, c'est que tu fournisses un effort égal tous les jours, car si tu travailles bien une semaine et que tu es moins productive une autre semaine, les patrons n'aimeront pas ça.

— Comment faire pour maintenir une cadence égale tout le temps ?

— Carmen Gendron, la fille de mon cousin Elzéar, m'a appris son truc. Lorsqu'elle était examinatrice à la Gotham, comme toi, elle devait présenter ses étiquettes à la fin de la journée.

— C'est de cette façon que les contremaîtresses calculent notre rendement pour la paye.

— Eh bien, Carmen donnait toujours le même nombre d'étiquettes. Si, pour une raison ou une autre, elle n'avait pas été aussi productive une semaine, elle complétait son paquet d'étiquettes avec celles qu'elle avait conservées et cachées dans un de ses tiroirs. Ingénieux, pas vrai?

— Très ingénieux, en effet! Je crois bien que je vais suivre son exemple.

— J'allais te le conseiller, ma fille.

Clémentine s'empare de la liasse de billets qui repose sur la table, attrape la petite monnaie qu'elle se met à compter. Puis, elle tend quelques pièces à sa fille.

— Tiens, garde les soixante-seize cents. Tu pourras te payer quelques sorties ou encore, si tu le préfères, les donner à la quête dimanche prochain.

Marie-Louise ne se fait pas prier. Elle prend les pièces avant de les faire disparaître dans la poche de son tablier.

Pareille à un coup de vent, la petite Antoinette fait irruption dans la cuisine où flottent les parfums d'un rôti.

— Maman! Maman! Monsieur Binet, le voisin d'à côté, m'a donné ça!

Elle ouvre sa main. Sur sa paume repose une friandise.

— Pouah! s'exclame Clémentine. Ce bonbon n'est même pas enveloppé!

D'un geste vif, elle le dérobe à Antoinette, qui crie son indignation:

— Mon bonbon! Je veux mon bonbon!

— Combien de fois dois-je te le répéter, ma petite: ne mange pas de bonbons qui ne sont pas enveloppés!

Devant la mine déconfite de sa benjamine, Marie-Louise s'agenouille, prend un cent et le dépose dans la main de la fillette en pleurs.

— Tiens, va acheter quelque chose pour toi et Armande.

Antoinette jette un regard hébété sur la pièce de monnaie, referme sa main sur le précieux trésor avant de déposer un baiser retentissant sur les joues de son aînée.

— Merci! lance la fillette avant de déguerpir.

— Ne gaspille pas ton argent ainsi, la réprimande sa mère.

— Ça lui fait tellement plaisir !

À l'horloge, le carillon sonne la demie de l'heure.

Clémentine passe une main sur son front et soupire.

— Je viens à peine de terminer le reprisage et le repassage du surplis de monsieur le vicaire qui en a besoin demain pour la première messe.

— Si vous voulez, j'irai le porter au presbytère, après le souper, en allant chez mon amie Alex.

— Ce n'est pas de refus, ma grande.

Marie-Louise marche vers le comptoir, s'empare d'un couteau et commence à peler des carottes qu'elle dépose ensuite dans un chaudron rempli à moitié d'eau.

— Je suis contente que tu t'amuses un peu. C'est de ton âge de sortir. Ta nouvelle amie, cette Alex, est-ce une jeune fille distinguée ? demande sa mère.

— Oui.

— Elle ne sort pas avec les matelots de l'École des Signaleurs, j'espère.

— Je ne crois pas. Pourquoi dites-vous ça ?

— Depuis que le gouvernement a fait bâtir ces baraques, la ville fourmille de ces étrangers! Ils viennent de tout le Commonwealth et ne parlent que l'anglais. Lorsque le premier camp militaire a été construit, on nous avait dit que ce serait pour entraîner nos soldats canadiens. Puis, en 1942, on a vu arriver à peu près quatre cents matelots. Mais voilà! Depuis 1943, l'École des Signaleurs en accueille cinq fois plus que prévu. Ils sont jeunes, beaux, portent l'uniforme, mais le pire, c'est qu'ils courent les jupons comme c'est pas possible! Dès leur arrivée, plusieurs filles se sont fait embobeliner par leurs belles paroles et leurs sourires charmeurs. Ah! ces étrangers-là! Ils ne restent ici que l'espace d'une chanson avant de repartir chez eux en laissant dans leur sillage des cœurs brisés.

Elle se tourne brusquement vers Marie-Louise qui demeure silencieuse.

— Je ne voudrais surtout pas que cela t'arrive, ma grande. Tu me comprends? Ils sont tellement beaux, jeunes et ratoureux!

Marie-Louise acquiesce en silence. Elle revoit aussitôt Germaine Dicaire et son air éploré.

— Va dire à ton père que le repas est prêt. Il est dans la cour arrière, probablement encore en train de réparer la clôture du jardin.

Marie-Louise porte une main à sa chevelure pleine des bigoudis qu'elle met chaque fois qu'elle revient de travailler afin de garder ses cheveux bien bouclés, en replace un à la hâte avant de se diriger d'un pas alerte vers une galerie vitrée et inondée de soleil, qui surplombe une petite cour bordée de trois cerisiers sauvages. Les arbrisseaux ploient sous des milliers de bourgeons ouverts. Les feuilles naissantes égaient de leur vert tendre les branches que le froid avait dénudées. Le temps chaud a ramené les moineaux querelleurs dont les piaillements emplissent le jardin du matin au soir, au grand déplaisir de Clémentine qui n'en finit pas de nettoyer les fientes accrochées à sa corde à linge.

Marie-Louise ouvre la porte, descend deux marches du petit escalier et s'arrête net, la main sur la rambarde. Un jeune homme est là, en grande discussion avec Damien.

— Tiens, la voilà, justement! s'exclame ce dernier en apercevant sa fille aînée en haut de l'escalier.

L'inconnu la salue en appuyant deux doigts sur la calotte de sa casquette de denim foncé.

— Bonjour, mademoiselle.

Elle porte instinctivement la main à ses cheveux.

«Dieu du ciel! songe-t-elle. De quoi ai-je l'air avec une montagne de bigoudis sur la tête? Et mon tablier taché de jus de carotte! Je dois être absolument horrible à voir!»

— Bon... bonjour, bredouille-t-elle, rouge de confusion.

— Je passais par là et quand j'ai vu votre père dehors, j'en ai profité pour lui proposer mes services de menuisier.

Dédaignant le sourire narquois de l'inconnu, Marie-Louise reporte son attention sur Damien:

— Papa, le repas est servi.

— J'arrive.

L'inconnu s'approche de l'escalier et pose nonchalamment un pied sur la première marche.

— Je vous ai vue sortir de la Gotham Hosiery et...

— Et vous m'avez suivie jusqu'ici ?
l'interrompt-elle.

— Non, non ! C'est une simple
coïncidence.

— Bien oui, continue Damien. Imagine-
toi donc qu'Henri est un bon menuisier.
Tu sais que je cherche quelqu'un pour
m'aider depuis que Germain est parti. J'en
avais glissé un mot à Lucien Belval, qui en
a parlé à Henri, qui est venu me proposer
ses services pour réparer la clôture et la
galerie.

— Ah, bon ! Comment se fait-il que
vous ne vous soyez pas enrôlé comme
tous les garçons de votre âge ? demande
Marie-Louise.

— Je suis fils de cultivateur et j'ai eu
droit à une dérogation. Nous faisons
notre part en procurant à tout le monde
les produits de la terre et de l'élevage. Il
n'y a pas que ceux qui travaillent dans les
usines qui participent à l'effort de guerre !

— Bien sûr, laisse tomber platement
Marie-Louise en faisant demi-tour, prête
à retourner à l'intérieur.

— Il y a un concert de la fanfare de la
Philharmonique au parc Dessaulles. Je me
demandais si…

— Je n'aime pas la musique de fanfare et puis, ce soir, je suis occupée! l'interrompt-elle de nouveau.

— Tiens donc! intervient Damien, que fais-tu donc?

— Je sors avec Alex... euh... Alexandrine, je veux dire.

— Demain il y a... tente encore Henri.

— Demain, Alexandrine et moi pensons aller aux *vues animées*.

Le jeune homme plonge ses prunelles claires dans celles, couleur noisette, de Marie-Louise, que l'acharnement de ce garçon agace.

— C'est bien ce que je pensais, laisse-t-il tomber sur un ton de défaite.

D'un geste machinal, il enfouit ses mains au fond de ses poches.

— Le repas va refroidir, termine la jeune fille en prenant congé des deux hommes.

— Je crois que je ferais mieux d'y aller, sinon ma Clémentine va être en colère.

Sur un salut, Damien prend congé de son visiteur.

Resté seul, Henri soupire. Il se souvient des paroles désobligeantes de sa sœur

Françoise qui lui reproche toujours son manque de classe:

«Les temps ont changé, petit frérot! Il faut te faire à l'idée. Les filles n'aiment plus les cultivateurs! Elles travaillent, gagnent de l'argent, aiment sortir, danser, s'acheter de beaux vêtements. Elles sont fières et libres et recherchent des hommes d'un genre nouveau. Plus émancipés. Toi, tu fais pitié!»

Pitié…

Comment pourrait-il se permettre de gâter une fille avec les quelques piastres que lui rapporte le travail à la ferme? Voilà pourquoi il se cherche du travail, ici et là, comme menuisier. Mais c'est très difficile d'en trouver quand les gens ont à peine de quoi subvenir à leurs besoins de base: le logement, la nourriture et les vêtements. De plus, Henri enrage de ne pouvoir rivaliser avec les gars de la ville qui se pavanent dans leurs beaux habits et qui récoltent les plus jolies filles. Et que dire des matelots dans leurs uniformes!

«Tu ne lui plais pas, mon vieux, s'admoneste-t-il tout bas. Elle est comme les autres! Voilà tout! Une princesse qui attend le prince charmant!»

Sous l'escalier, un petit cylindre bleu attire son attention. Il se penche, ramasse le bigoudi aux pointes hérissées et l'enfouit dans la poche de sa chemise sans l'ombre d'une hésitation. Il lève la tête vers la galerie vitrée avant de quitter la maison des Dufault.

Camouflée derrière un rideau, Marie-Louise observe Henri. Elle note la taille moyenne, les épaules bien droites légèrement tirées vers l'arrière malgré la fâcheuse manie qu'il a de toujours enfouir les mains dans ses poches. Une fine moustache lui confère un air sérieux.

Elle le regarde s'éloigner en murmurant entre ses dents:

— Tu vas attendre longtemps avant que je sorte avec toi et ton air de fanfaron! Avec toi ou n'importe quel autre garçon d'ailleurs, marmonne-t-elle avant de quitter son poste d'observation.

6

LA RENCONTRE

C'est samedi.

— Enfin, une journée et demie de congé ! s'exclame Marie-Louise, le midi, en revenant de la manufacture.

Après le dîner, elle essuie la vaisselle et se met sur son trente et un pour une nouvelle soirée avec son amie Alexandrine.

Comme elle a hâte ! Et un peu peur aussi. C'est la première fois qu'elle a une amie aussi libérée. Avant, elle sortait, mais c'était souvent pour aller à la messe, à l'office du premier vendredi du mois ou à la chorale. Oh ! Il y avait bien sûr les visites à la parenté. Mais Clémentine était si occupée que, bien souvent, les visites se résumaient à celle faite à l'oncle Émile. Ce soir, Marie-Louise le sent, ce sera totalement différent.

Pour la circonstance, elle a posé du vernis sur ses ongles, remonté ses cheveux en chignon, ne laissant que quelques mèches flotter autour de son visage à l'ovale parfait. Elle a ensuite fardé ses joues, tracé une ligne noire sur ses yeux et mis du rouge sur ses lèvres avant d'enfiler sa jupe de coton à rayures noires et d'y assortir un chemisier pêche.

— Comme tu es belle! s'exclament en chœur ses sœurettes, en la voyant sortir de sa chambre.

Depuis qu'elle travaille à l'usine, ses parents lui octroient davantage de liberté.

— Tu fais désormais partie du monde des adultes, lui a affirmé Damien, avec tout ce que cela comporte d'autonomie, mais aussi de responsabilités. Tu pourras donc sortir plus tard le soir. Rappelle-toi toujours que tu dois être en forme pour le travail. Sinon, nous devrons te fixer des restrictions. Tu me comprends bien, ma fille?

À cette proposition, Marie-Louise avait donné son accord silencieux.

La jeune fille marche jusque chez Alex qui trépigne d'impatience.

— Ça fait dix minutes que je t'attends! Dépêchons-nous!

Les nouvelles amies empruntent la rue Bourdages, passent par-dessus la voie ferrée qui longe l'hôtel du Grand Tronc avant de s'engager sur la rue Girouard, l'une des plus animées de la ville. En face d'elles, le trottoir du Grand Hôtel est noir de monde. Elles descendent la côte de la rue Mondor presque en courant.

— La rue des Cascades grouille de monde. On dirait une fête, dit Alex, tout excitée. Laissons faire les *vues animées*! Nous irons quand il fera moins beau. Tiens, allons d'abord faire un tour dans les magasins.

— Je n'ai pas d'argent pour acheter quoi que ce soit.

— Qui te parle d'acheter? On va juste fouiner un peu. Ça fait longtemps que je n'ai pas mis les pieds dans les magasins à chaîne comme le People, le United, le Federal ou encore chez Woolworth.

— Ma mère m'a déjà parlé de ces magasins où l'on trouve plein d'articles à cinq, dix et quinze cents.

— Tu n'y as jamais mis les pieds toi-même?

— Non, répond Marie-Louise, un peu embarrassée.

— Eh bien, il n'est pas trop tôt! Viens, je vais te servir de guide.

En riant, elle passe son bras sous celui de Marie-Louise. Celle-ci se laisse entraîner vers un magasin dont les vitrines débordent d'objets de toutes sortes.

Les filles n'ont pas fait trois pas que, venant en sens inverse et formant une véritable barrière humaine, une centaine de matelots déambulent, monopolisant la rue entière, ce qui choque quelques rares automobilistes qui, jouant du klaxon, leur intiment de leur laisser le champ libre.

Depuis 1942, plus de trois mille deux cents marins, officiers, stagiaires et membres du personnel tant masculins que féminins logent dans les baraques et y étudient les procédés les plus récents des signaux visuels, du radio-téléphone, de la télégraphie sans fil, du radar, du chiffrage et du déchiffrage et aussi du télétype.

— Comme ils sont élégants dans leurs beaux uniformes! se pâme Alex.

— Vraiment?

— Regarde celui-là, dit Alex en tendant son index ganté vers un jeune homme aux traits assurés. C'est Jeff Monroe. Il danse comme un dieu! Et l'autre, à ses côtés, c'est James Hardcliff. Il est saxophoniste dans la fanfare des Matelots, formée par quelques musiciens de l'École des Signaleurs. Le troisième, c'est Francis O'Neil. Paraît-il qu'il est un grand pianiste de concert dans son pays.

— Tu les connais tous? s'inquiète soudain Marie-Louise.

— Pas tous, voyons, mais disons que j'en connais pas mal…

Marie-Louise dégage son bras, feignant de replacer son petit col. Elle jette un regard à la dérobée à Alex qui, rouge d'excitation, se hisse constamment sur la pointe de ses pieds menus.

Si Clémentine avait raison? Si Alex n'était pas aussi distinguée et ingénue qu'elle ne le paraît? Ne fume-t-elle pas? Damien lui a maintes fois répété qu'une fille qui fume est souvent considérée comme une fille facile.

Alex agite un bras au-dessus de sa tête.

— Hou, hou! *Hi, there!* s'exclame-t-elle.

— Que fais-tu là? proteste Marie-Louise.

Sans se soucier du malaise de son amie, Alex court vers les trois garçons qui, se détachant aussitôt du groupe, marchent vers elles.

— *Hello, Alex! How are you?* (Allô, Alex! Comment vas-tu?) lui demande l'un d'eux.

— *I'm fine! And you?* (Je vais bien. Et toi?)

— *Who is this beautiful young lady?* (Qui est cette magnifique jeune fille?) demande le dénommé Francis en détaillant Marie-Louise de la tête aux pieds.

— *My new friend, Marilou.* (Ma nouvelle amie, Marilou.)

Elle se tourne vers sa compagne de travail avant d'ajouter:

— Dis bonjour à Francis.

Pareille à une statue, Marie-Louise demeure figée tandis que le matelot la salue d'un discret signe de tête.

— *Nice to meet you, Marilou.* (Enchanté de vous connaître, Marilou).

— *Would you like to go to dance to the Nautic Club, Alex?* (Aimerais-tu aller danser au Club Nautique, Alex?) demande Jeff.

— *I'd love to!* (J'adorerais ça!), déclare la jeune rouquine dans un grand sourire.

Elle se tourne vers Marie-Louise qui n'a rien compris du tout à la conversation.

— On va danser!

— Et notre magasinage?

— Laisse tomber le magasinage. Il y a bien mieux à faire.

— Est-ce que tu changes toujours d'idée comme ça, toutes les cinq minutes? s'écrie Marie-Louise, qui n'est plus sûre de ce dont aura l'air sa sortie en ville avec Alex.

— La plupart du temps, je me laisse le droit à l'imprévu, réplique Alex en relevant le nez en signe de défi. Après tout, ma mère m'a toujours dit: «Il n'y a que les fous qui ne changent pas d'idée.» Faut croire que je ne suis pas encore folle! Viens!

Elle empoigne la main de son amie et l'entraîne à la suite des matelots qui se dirigent d'un pas rapide vers le pont Barsalou, qui enjambe la rivière Yamaska.

7

AU CLUB NAUTIQUE

La musique endiablée de Duke Ellington, *Flying Home*, les accueille. Dans la salle saturée de fumée de cigarettes, plusieurs jeunes gens se laissent entraîner par le rythme du boogie-woogie, la danse à la mode.

Marie-Louise écarquille les yeux. Elle n'a jamais vu autant de monde dans une si petite pièce. Il y a des gens partout ; sur la piste de danse, accoudés aux tables ou au bar, ou encore nonchalamment appuyés aux murs du corridor qui mène aux salles de toilette.

— Wow ! crie Alex en se trémoussant.

Marie-Louise est mal à l'aise. Elle sait trop bien qu'elle n'a pas l'âge requis pour venir dans cet endroit. Elle craint qu'après avoir découvert qu'elle a quatorze ans, on ne la jette à la porte sans ménagement. Quelle humiliation ce serait !

Son père l'a pourtant bien avertie de se conduire comme il faut. Que dirait-il s'il la surprenait ici, parmi tous ces garçons en uniforme ? Et Clémentine, qui les déteste ouvertement ?

« Personne ne doit me reconnaître », songe-t-elle avec appréhension.

Marie-Louise tourne la tête dans tous les sens avant de fixer son regard sur le profil de son amie qui observe attentivement les danseurs.

« Comment expliquer mon malaise à Alex sans la vexer ? se dit-elle encore. Elle me traiterait de bébé, c'est certain. Et puis je ne veux pas perdre son amitié pour une banalité. Ce serait vraiment trop bête ! Elle est si libérée. Au fond, je l'envie… »

— Il y a de la place par là ! lui crie Alex, la soustrayant ainsi à ses pensées moroses.

Avisant une petite table dans le coin de la pièce, la jeune fille s'y précipite, Marie-Louise sur ses talons.

— Ici, ce sera parfait ! déclare Alex en enlevant ses gants de dentelle noire et en jetant un regard perplexe vers les trois matelots qui ont pris place, eux, au bar.

Elle hèle un barman qui passe tout près avant de se tourner vers Marie-Louise.

— Veux-tu boire quelque chose?

— Heu... un soda au gingembre peut-être.

— Un soda au gingembre! l'imite Alex. Et pourquoi pas une tasse de thé ou un verre de lait tant qu'à y être!

Le barman arrive à leur hauteur.

— Deux Singapour Sling, s'il vous plaît.

Le serveur louche vers Marie-Louise, qui baisse les yeux.

«Malgré le fard, le rouge à lèvres et le chignon, n'ai-je pas l'air trop jeune?» pense-t-elle, mal à l'aise.

Alex s'empresse de rassurer le serveur.

— Elle travaille à la Gotham avec moi.

Le serveur hausse les sourcils et fait une moue désapprobatrice avant de prendre congé.

— Ouf! soupire Marie-Louise de plus en plus contractée. J'ai eu très peur. As-tu vu comme il m'examinait?

— Ne t'en fais pas. Je le connais bien. Il a l'air d'un dur, mais au fond c'est un tendre, comme tous les garçons d'ailleurs.

— Viens-tu souvent ici ?

— Au moins deux fois par semaine. J'adore la musique et surtout, j'adore danser.

Elle se dandine soudain sur son siège en claquant des doigts au rythme de la musique.

— Toi, tu as seize ans, presque dix-sept, dit Marie-Louise en affichant une moue dubitative. Tandis que moi, je n'ai que…

Alex la fait taire d'un mouvement de la main, car le barman surgit près de la jeune fille avant de déposer les consommations sur la table.

— Voilà, pour ces demoiselles !

— Combien te dois-je ?

— Ce sont tes copains, les matelots, qui paient, comme d'habitude.

Une fois le serveur parti, Alex se redresse à la recherche de garçons en uniforme. Elle en aperçoit soudain un, lui dédie son plus beau sourire avant de poser deux doigts aux ongles vernissés sur sa bouche en forme de cœur et de lui souffler un baiser imaginaire.

— Arrête! Veux-tu nous faire remarquer davantage? lui ordonne Marie-Louise, contrariée.

— Ne t'énerve pas comme ça!

— Peut-être que ça te plaît d'être la vedette ici, renchérit-elle, mais moi, je préférerais passer inaperçue, si tu veux le savoir.

— De quoi as-tu peur?

— De me faire reconnaître ou encore d'un contrôle de l'escouade de la moralité…

— Ici, à cause des matelots, l'interrompt aussitôt Alex, les policiers ne viennent jamais.

— Je l'espère! crie-t-elle pour surmonter le bruit qui s'intensifie dans la pièce.

— Laisse-toi donc aller, lui conseille Alex. Tu n'as rien à craindre. Profite de ta première sortie d'adulte. Tchin-tchin! termine-t-elle en levant son verre.

Elle trempe ses lèvres dans le liquide coloré. Marie-Louise en fait autant. Le liquide lui pique la langue, puis lui brûle la gorge, lui faisant monter des larmes au coin des yeux. Marie-Louise déglutit longuement. Une chaleur inhabituelle, mais pas du tout désagréable, envahit sa poitrine. Hardiment, elle prend une seconde gorgée qu'elle savoure un peu plus cette fois, avant de reporter son attention sur la piste de danse.

Une vingtaine de tables longent deux murs de la pièce. Dans un coin, un juke-box répand sa musique endiablée.

— C'est ahurissant! s'exclame-t-elle.

— Ouais, fameux! renchérit Alex.

Jamais encore Marie-Louise n'a connu pareil malaise, pareil questionnement. Pourtant, dans l'euphorie contagieuse qui règne ici, elle voudrait soudain que le temps se fige dans les rires et sur les visages resplendissants de cette jeunesse heureuse. Dans sa tête, comme dans toutes celles de cette horde de jeunes gens, les souvenirs des longues heures de travail s'estompent pour ne laisser place qu'à la musique et à une rage de vivre. Plus de chagrin. Plus de déception. Que du plaisir. Du pur plaisir…

— À notre amitié! lui crie Alex en brandissant son verre bien haut.

— À notre amitié! répète Marie-Louise en souriant de bonheur.

Le cliquetis des verres se perd dans le bruit environnant. Marie-Louise prend une bonne rasade. L'alcool la réchauffe tandis qu'un léger frisson lui parcourt l'échine. Du juke-box, que les marins alimentent de piécettes, les mesures d'un triple swing enhardissent la fougue des danseurs. La piste se change alors en une mer démontée dans les vagues desquelles les filles et les garçons oublient la guerre avec son lot de craintes, de travail et de fatigue accumulée. Prise d'un vertige qu'elle attribue à l'alcool, mais aussi à un trop-plein de bonheur, Marie-Louise dépose son verre, s'accoude sur la table avant d'appuyer sa tête lourde sur la paume de sa main ouverte.

— Regarde un peu ces deux-là, lui signifie Alex, en pointant son index en direction d'un couple qui, malgré le rythme rapide de la musique, demeure étroitement enlacé.

Blottie entre les bras d'un bel officier, une jeune femme s'abandonne.

La musique endiablée laisse soudain la place à une composition de Glen Miller, *Moonlight Serenade*. Le son langoureux des clarinettes et des saxophones invite au rapprochement. D'autres couples s'acheminent vers la piste de danse avant de s'enlacer tendrement.

Envoûtée à son tour par la musique, Marie-Louise ferme à demi les yeux.

— *Would you like to dance, miss?* (Voulez-vous danser, mademoiselle?)

La voix de Francis O'Neil surprend la jeune fille qui rouvre les yeux aussitôt.

— Ne te fais pas prier! Vas-y! lui intime Alex en la poussant dans les côtes.

Sous la pression de son amie, Marie-Louise se lève et accompagne le jeune homme sur la piste de danse. Celui-ci l'enlace étroitement. Marie-Louise se raidit. Un malaise l'envahit.

«Comment ai-je pu me mettre dans une situation pareille? s'admoneste-t-elle intérieurement. Ce que je peux être influençable!»

Pendant un instant, les reproches probables de Clémentine se marient au bourdonnement qui emplit ses oreilles.

«Une fille à matelot! Toi! Ma pauvre Marie-Louise! Mais où as-tu donc la tête?»

Elle-même ne le sait trop.

«Elle ne doit pas le savoir, songe-t-elle. Jamais!»

La jeune fille risque un œil vers Alex qui s'élance à son tour sur la piste de danse au bras de Jeff. Elle reporte ensuite son attention vers l'endroit où se tenaient Alex et Jeff quelques secondes auparavant. Ses yeux croisent ceux de Henri Péloquin, le jeune cultivateur rencontré chez elle la veille, accoudé au comptoir. Son sang ne fait qu'un tour.

— Heu… *Excuse me* (Excusez-moi), dit-elle soudain en quittant inopinément son partenaire et en se dirigeant vers Henri, qui la fixe d'un air narquois.

— Tiens, tiens! Mademoiselle Marie-Louise. Vous vous amusez bien, à ce que je vois!

— Ce n'est pas ce que vous croyez. Je suis ici parce que mon amie Alex m'y a obligée.

— C'est elle aussi qui vous oblige à danser avec un matelot? continue-t-il sur un ton cynique.

Marie-Louise encaisse le reproche sans broncher.

— Surtout ne dites pas à mon père que vous m'avez vue ici. C'est la première et la dernière fois que je…

— Ce que vous faites de vos soirées ne me regarde pas, mademoiselle Dufault, l'interrompt-il. Je ne suis ni votre amoureux ni votre grand frère. De plus je ne suis pas un colporteur !

— Pardonnez-moi, je n'ai pas voulu vous offenser.

Un silence embarrassant plane un moment entre eux.

— Je ne divulguerai pas votre secret à condition que vous me promettiez de ne pas trop vous frotter à cette racaille, dit-il en désignant les matelots d'un bref signe de la tête. Ils ont mauvaise réputation. Mais les filles qui les côtoient en ont une pire encore.

À pas lents, Francis se dirige vers les deux jeunes gens. Arrivé à leur hauteur, il pose une main sur le bras de Marie-Louise.

— Vous danser encore ? demande-t-il avec son accent particulier.

Henri le fixe longuement, une lueur rageuse au fond des yeux.

— Tu ne vois pas que je parle avec mademoiselle ? s'exclame le jeune fermier sur un ton de défi.

— *What* ? (Quoi ?)

— C'est très impoli d'interrompre les gens qui jasent ensemble. On ne t'apprend pas les bonnes manières à ton École des Signaleurs ?

Les deux hommes se lancent des regards furibonds. Francis serre les poings. Henri crispe ses doigts sur le tissu de son manteau. Sentant l'animosité qui pointe le bout de son nez, Marie-Louise tente d'intervenir, mais Francis la devance.

— *Come with me, darling, let this farmer to his pigs and his cows!* (Venez avec moi, chérie, laissons ce fermier à ses cochons et à ses vaches!)

Henri, qui a compris l'insulte à demi, se retient à grand-peine pour ne pas lui infliger une raclée.

L'échauffourée qui a éclaté à la sortie du théâtre Corona, le 3 avril dernier, lui revient en mémoire. Bien sûr, il n'y avait pas participé directement, mais il avait encouragé Claude Plante, un cultivateur, comme lui, à donner une bonne leçon à un de ces gars en uniforme qui se croient tout permis.

Comme beaucoup de citoyens, il en a assez de ces hordes de permissionnaires qui encombrent les rues de la ville, les théâtres, les restaurants et les salles de danse, et ce, la semaine durant. Ces garçons âgés entre dix-huit et vingt-cinq ans, venus d'aussi loin que l'Australie et la

Nouvelle-Zélande, ont l'avantage d'avoir de l'argent, de porter l'uniforme et de bénéficier d'une grande liberté les jours de permission. Plusieurs d'entre eux sont des sportifs émérites, dansent à merveille ou encore sont des musiciens reconnus.

Henri rage encore au souvenir d'une nuit de septembre où il a dû parcourir pas moins de cinq kilomètres à pied sous une pluie drue et cinglante parce qu'un matelot lui avait volé sa bicyclette.

Afin de désamorcer le conflit, Alex s'approche du groupe et dit sur un ton enjoué :

— Il fait beaucoup trop chaud ici, déclare-t-elle en s'arrêtant à côté de Marie-Louise. Tiens. Voilà ton sac à main. Partons d'ici. *Do you come with us, guys?* (Venez-vous avec nous, les gars ?)

Attrapant sans ménagement le bras de sa copine, Alex quitte la salle de danse, imitée par Francis, James et Jeff qui jettent un regard méprisant à Henri.

Aussitôt dehors, Marie-Louise fausse compagnie à son amie qui la rejoint en vitesse.

— Je dois rentrer, déclare Marie-Louise.
— Déjà ? rétorque Alex.

— Reste, si tu veux, je vais rentrer toute seule.

— Je te raccompagne. Mais la prochaine fois, ce serait chouette de danser un peu plus longtemps. Après tout, tu es une adulte maintenant, plus une enfant d'école.

Riant de bon cœur, Alex enfouit son bras sous celui de Marie-Louise qui se détend un peu. Après un bref salut vers les matelots qui empruntent la rue des Cascades, les deux copines retournent à la maison, bras dessus, bras dessous.

8

SUR LE PARVIS DE L'ÉGLISE

La grand-messe du dimanche terminée, Marie-Louise met le pied sur le perron de l'église. Antoinette et Armande ont déjà quitté le parvis à la suite de Clémentine qui se dépêche de retourner à la maison pour préparer le dîner. Philippe, lui, jase avec deux autres garçons de son âge.

La jeune fille jette un regard vers la porte de l'église. Son père et un ami, Lucien Pomerleau, en sortent à leur tour.

— Si ce n'est pas malheureux! dit ce dernier. Hier encore, j'ai dû échanger mes coupons de rationnement d'alcool contre des coupons de sucre et de beurre. Comme dirait ma femme: «Les enfants d'abord!»

— Ça n'a assurément pas été facile pour toi, hein, mon Lucien? le nargue Damien.

— Ne te moque pas! Ce n'est pas tous les jours fête, tu sauras. Si on ne peut pas se laisser aller un peu, qu'est-ce qu'on va devenir?

Lucien replace le nœud de sa cravate avant de continuer.

— Ma femme est à nouveau enceinte.

— Encore! Ça t'en fait combien, mon Lucien?

— Six.

Damien émet un léger sifflement.

— Jérôme, mon plus jeune, est malade, continue Lucien comme dans une litanie, et Clara a besoin d'un nouvel uniforme pour l'école. Juliette, mon aînée, veut entrer au couvent. Elle affirme qu'elle en a déjà assez de prendre soin de ses frères et sœurs. Elle ne veut même pas songer au mariage et encore moins aux enfants. Yvonne travaille à la Hump Hair Pins. Les jumelles Jeannine et Cécile vont avoir douze ans le mois prochain. Elles viennent à peine d'être engagées comme servantes. L'une chez madame Cadorette et l'autre chez le médecin Bluteau.

Il fait une pause, se gratte le lobe de l'oreille droite d'un geste nerveux avant de continuer:

— Me croiras-tu, mon Damien, si je te dis que même avec tous ces salaires, j'arrive à peine à joindre les deux bouts. Ah! si j'avais des garçons!

— Des gars? Il ne faut pas trop se fier là-dessus! Quand ils ne rêvent pas de voyager, ils dépensent souvent leurs payes à boire ou à courir la galipote. Les filles sont plus travaillantes et beaucoup plus fiables aussi. Crois-moi sur parole!

Damien prend alors une cigarette et la tend à son voisin et ami.

— Tiens! Tu la fumeras à ma santé.

— Merci! C'est pas de refus.

Lucien emprisonne aussitôt le bout filtre de la cigarette entre ses lèvres. Il sort une boîte de bois de marque Buffalo de sa poche de veston, prend une allumette et en gratte le bout soufré sur le rebord. L'allumette prend feu. Lucien enflamme le bout de la cigarette et inspire profondément avant de rejeter un nuage de fumée.

— Si je travaillais à la Super Knitting Mills, continue-t-il, j'aurais un boni en argent à la naissance du bébé et ma femme recevrait des cadeaux très pratiques.

— Ils sont vraiment chanceux, les travailleurs de cette usine et ceux de la

Goodyear Cotton aussi, renchérit Damien. Est-ce vrai qu'il y a un médecin et des infirmières sur place?

— Oui. C'est fameux, ça! Quand mon beau-frère a eu son accident et qu'il s'est pris la main dans une des machines de coton, le contremaître l'a conduit à la clinique de la manufacture. Le docteur l'a opéré tout de suite.

— Le tétanos aurait pu le faucher en dix minutes!

— Je ne crois pas, puisque les employés sont tous vaccinés contre ça.

— C'est vrai qu'ils ont ouvert une cantine sur place? demande encore Damien, curieux.

— Oui, depuis deux semaines environ. Tout le monde aime quand même mieux apporter ses repas. Ça coûte moins cher. Quand les employés se regroupent pour leurs réunions syndicales, ils préfèrent le faire ailleurs que trop près des bureaux des patrons.

— Je les comprends! soupire Damien. Il ne faut pas mettre toutes ses cartes sur la table. Même si on a le meilleur patron du monde.

— Tu dis vrai, mon Damien.

— En tout cas, si ces *unions* prennent la défense des petits Canadiens français comme nous, je suis prêt à y adhérer, même si ma Clémentine raconte que c'est l'œuvre du diable en personne et que ça nous conduira directement au chômage et à la misère.

— Ma femme dirait assurément la même chose!

Les deux compagnons rient de bon cœur à la pensée de leurs femmes qui seraient outrées de les entendre commérer de la sorte sur leur compte.

Damien jette un coup d'œil vers Marie-Louise qui, patiente et discrète, regarde dans la direction opposée. Il la trouve jolie et très distinguée dans sa robe à rayures marine et blanche. Sur ses cheveux, un chapeau de paille blanc orné de trois boutons de roses retenus par un ruban de couleur marine confère à sa tenue un chic certain. Un élan de fierté gonfle le cœur de Damien qui esquisse un pas dans sa direction, mais le discours de son camarade le retient.

— Hélas, ce ne sont pas toutes les compagnies qui voient ce mouvement d'un bon œil, reprend Lucien sur un ton plus sérieux. Ça leur fait peur même! Ma femme rabâche tout le temps que si les *unions* deviennent trop fortes, les manufactures vont fermer leurs portes et que nous perdrons tous nos emplois.

Les deux hommes font quelques pas en direction des marches qui conduisent à la rue principale. Lucien fixe un long moment l'avenue qui s'étire devant eux avant de rejeter la fumée de sa cigarette. Déjà, en bas du grand escalier, Marie-Louise s'apprête à quitter les lieux à son tour.

— Elle a peut-être raison, continue-t-il, songeur. On ne sait jamais avec ces Anglais. S'ils ne trouvent pas leur profit ici, une fois la guerre terminée, ils iront s'installer ailleurs. Bonjour la visite!

Lucien fait claquer sa langue et replace le col de sa chemise avant de conclure sur un ton fataliste:

— Pour ma part, je n'y survivrais pas, mon vieux!

— Ne t'en fais pas, le réconforte Damien. Tant que l'industrie de la guerre achètera les bas, les chemises, les pantalons, les pneus et tous les autres produits que nous fabriquons, les *big boss* vont rester ici et continuer de faire marcher leurs usines.

Marie-Louise soupire d'ennui.

Tous les dimanches, c'est du pareil au même. Les hommes demeurent sur le parvis et n'en finissent pas de parler du temps qu'il fait ou fera, de la vie dans la paroisse et dans les usines, des élections à venir, de la récession à passer. Chacun se donne des nouvelles des hommes partis à la guerre, des femmes restées seules au pays, des mères et des veuves éplorées, des enfants à naître, des nouveau-nés ou encore des vieillards. Les jeunes gens, eux, préfèrent s'enfermer dans les petits restaurants ou encore aller se promener en ville.

Parfois, il arrive à Marie-Louise de trouver sa vie un peu trop banale. Elle est souvent seule et plusieurs la trouvent trop sérieuse pour son âge.

Absorbée dans ses pensées, la jeune fille avance lentement quand une exclamation la fait sursauter.

— Tiens, tiens! Marie-Louise Dufault en personne!

Toute de jaune vêtue, une jolie fille accourt vers elle.

— Ça fait une éternité que je veux te voir, commence la nouvelle venue. J'ai su que tu as quitté l'école.

— Les nouvelles vont vite, on dirait !

— C'est Madeleine qui me l'a dit. Elle m'a aussi confirmé que tu étais encore la première de la classe. Tu ne changeras donc jamais. Studieuse ! Qu'est-ce que tu as eu comme cadeau de fin d'année cette fois-ci ?

— Un carnet rouge…

— L'as-tu avec toi ?

— Non. Je l'ai laissé chez moi.

— Ah ! Et qu'en feras-tu ?

— Je ne sais pas encore.

— Tu vas y inscrire tes rendez-vous d'amoureux, peut-être ? ricane Marguerite en se trémoussant d'excitation.

— Tu ne penses qu'à ça, toi, les amoureux ? riposte Marie-Louise.

— Pas toi ?

— Non.

— Allons donc, ne fais pas la sainte nitouche. Toutes les filles rêvent de l'amour. D'ailleurs, j'aimerais te présenter quelqu'un que j'affectionne particulièrement.

Elle pose une main en visière, se tourne à demi et scrute les environs. Pendant ce temps, Marie-Louise observe cette Marguerite Daviau qu'elle a connue à la dernière retraite paroissiale, quelques jours avant la fête de Pâques. Elle ne l'aime pas. Elle la trouve excitée. Effrontée, même.

— Tu vas voir ! Je pense bien avoir déniché l'oiseau rare, déclare Marguerite. Tiens, le voilà !

La jeune femme délaisse Marie-Louise et court soudain à la rencontre d'un garçon d'à peine seize ans vêtu à la mode *zut suit* à laquelle les petits-bourgeois des familles riches adhèrent depuis peu. Celui-ci a fière allure avec son veston de couleur rose festonné de noir. Les jambes de son pantalon noir liséré de satin de même couleur sont si étroites qu'il ne pourrait le retirer sans d'abord enlever ses chaussures. Au centre du col étroit de sa chemise à rayures grises éclate le rubis d'un énorme nœud de cravate de satin. Le garçon marche en se dandinant un peu et en affichant un air de m'as-tu-vu comme seuls ceux qui vivent dans le luxe peuvent le faire.

— Te voilà enfin ! minaude Marguerite en s'accrochant au bras du nouvel arrivant. Étienne, je te présente Marie-Louise Dufault.

— Bonjour! dit cette dernière.

L'air aussi pédant qu'un coq de basse-cour, Étienne toise la jeune fille d'un regard hautain sans daigner répondre. Il se tourne vers sa compagne:

— Je vais manger une frite au restaurant Le Petit Bijou. Tu viens?

— Oui, bien sûr! Viens-tu avec nous, Marie-Louise?

— Heu… non, non. Merci quand même.

— Pauvre toi, tu ne dois sûrement pas pouvoir te payer ça! J'aurais dû y penser! Dommage…

Avec un sourire narquois, Marguerite et Étienne prennent congé de l'infortunée.

Rouge de honte et de colère, Marie-Louise baisse les yeux. Au fond d'elle-même, une petite voix crie à l'injustice tandis qu'une rage sans nom se fraie un chemin dans son cœur meurtri. Relevant les paupières, elle regarde le couple se diriger vers la rue des Cascades. Elle admire leurs vêtements, leur allure, leur désinvolture. En même temps, elle hait tout ce qu'ils représentent: l'argent, le pouvoir, l'indifférence…

— Marie-Louise, l'interpelle soudain son père, il est temps de rentrer à la maison.

Jetant un dernier regard vers le couple qui pénètre dans le restaurant, Marie-Louise quitte à son tour le perron de l'église que les fidèles ont déserté.

* * *

Ce soir-là, après une journée passée à aider sa mère à préparer les repas, à recevoir l'oncle Émile et sa famille, à lire un peu et surtout à coiffer Armande et Antoinette, Marie-Louise s'empare du petit carnet rouge qu'elle a glissé sous son matelas. Afin de ne pas réveiller ses sœurettes qui dorment depuis quelques heures, avec mille précautions, elle prend le crayon, ouvre la page en date du 15 avril 1945 et y inscrit sans tarder :

Aujourd'hui, grâce à Marguerite Daviau, j'ai su que les temps changent. Je sens que les filles de mon âge ne voudront pas vivre comme l'ont fait leurs mères. La vie est tellement différente ! Et tout ça à cause de

l'argent que leur procure le travail
dans les usines. Tout ça à cause de
cette guerre qui n'en finit plus, mais
qui nous enrichit un peu malgré nous.
Même moi, je change déjà puisque je
me sens différente d'elle et que, même
si cela paraît absurde, j'ai hâte de
retourner au travail demain…

La jeune fille replace le crayon dans le repli de la reliure, remet le carnet dans sa cachette, s'agenouille, fait le signe de croix, marmonne une courte prière, puis va se blottir sous les draps. Couchée sur le dos, elle inspire profondément et lorgne le réveille-matin placé bien en vue sur la table de chevet, s'en empare, vérifie le mécanisme de l'alarme et l'heure de réveil pour la cinquième fois, le remet à sa place, étend le bras et éteint la lumière.

9

L'INSPECTION

Le ronronnement incessant des machines à coudre lui donne le vertige. Marie-Louise délaisse le bas de nylon sur la jambe d'acier qu'elle a écartée plus de cent fois depuis ce matin. Elle passe une main sur sa nuque où une douleur se loge, cambre un peu les reins et se tortille sur sa chaise inconfortable. Comme elle a mal au dos !

Depuis samedi, elle n'a pas d'entrain au travail. Ni à la maison d'ailleurs.

Marie-Louise lève la tête vers l'endroit où elle a vu Germaine Dicaire pour la dernière fois. Après que le grand patron l'a fait venir dans son bureau, elle n'est jamais revenue à son poste.

« Tout ça à cause de l'amour ! » songe-t-elle.

L'amour… Qu'en sait-elle ? Pas grand-chose.

Depuis que Marie-Louise a dansé dans les bras du beau Francis O'Neil, ses nuits se peuplent de rêves enchanteurs qui tournent vite au cauchemar.

«Est-ce l'amour qui me tourmente ainsi? Je ne sais pas. Je n'y connais rien», réfléchit-elle en enfilant un bas sur la forme de métal.

Clémentine a toujours été très discrète à ce sujet et Marie-Louise ne lui a jamais posé de questions. Voilà maintenant que son cœur bat pour un étranger. Un matelot. Et Marie-Louise a peur de tomber dans un piège tendu un soir d'euphorie.

«Pas comme Germaine Dicaire. Surtout pas!» lui souffle une petite voix.

Tous les soirs avant d'aller au lit, elle note avec concision les différents événements qui peuplent ses journées de travail. Ses progrès d'abord, ses fatigues et ses interrogations aussi:

«Dois-je augmenter la cadence et ainsi gagner plus d'argent? Dois-je en parler à Alex? Pourrais-je un jour faire autre chose que d'examiner des bas de nylon?»

Pourra-t-elle ceci? Pourra-t-elle cela? Autant de questions qui restent sans réponse et qui la taraudent jour et nuit.

Lorsqu'elle y repense, l'avenir à la manufacture est bien différent de celui qu'elle avait imaginé.

« Rien de comparable au travail d'institutrice ! » lui chuchote encore la petite voix.

— Tu as la tête dans les nuages, ma fille ! la semonce soudain madame Delisle, en se plaçant devant elle, les poings sur les hanches.

— Oh ! Vous m'avez fait peur, s'exclame Marie-Louise en posant sa main sur sa poitrine, où son cœur bat la chamade.

— Quelque chose ne va pas ?

— N… non. Pourquoi me demandez-vous ça ?

— J'ai remarqué que depuis quelques jours tu travailles un peu au ralenti.

— Ne vous en faites pas ! Je vais remettre le même nombre d'étiquettes à madame Gauvreau.

— Nous connaissons ton petit manège et en raison de ton jeune âge, nous fermons les yeux. Mais si les dernières semaines t'ont permis d'accumuler un surplus d'étiquettes, cette semaine, ce ne sera probablement pas le cas. À moins que tu trafiques avec d'autres employées pour…

— Jamais je n'oserais! s'écrie Marie-Louise.

— Tant mieux! Tant mieux!

Madame Delisle pivote d'un quart de tour et lui lance par-dessus son épaule:

— Monsieur Egan veut te voir. Tout de suite.

— Pour… pour quoi faire?

— Tu dois passer à l'inspection. Allez, dépêche-toi! C'est ton tour.

Madame Delisle la quitte sans un salut.

Le cerveau en feu et la gorge sèche comme un désert, Marie-Louise se lève lentement, contourne la machine où le bas enveloppe toujours la jambe d'acier. Elle fait quelques pas chancelants quand les paroles de son père lui traversent l'esprit:

«Monsieur Egan vérifie personnellement la tenue de ses six cent quatre-vingts employées. Il est très pointilleux.»

La jeune fille replace aussitôt le col de son chemisier que la sueur a ramolli, lisse sa jupe de cotonnade, se tourne à demi et vérifie si la ligne de ses bas est bien droite. Avisant une tache sur le bout de son soulier, elle se dépêche de la faire disparaître du plat de la main. Elle se redresse, ébouriffe les boucles de ses cheveux, qu'elle prend soin de brosser tous les soirs, humecte ses lèvres du bout de la langue et se dirige sans plus d'hésitation vers le bureau du grand patron, situé au bout du corridor de gauche.

Sur son passage, Alex lui décoche un clin d'œil.

— Ne t'en fais pas, tout va bien aller, la rassure-t-elle.

Marie-Louise la gratifie d'un sourire et s'empresse de se rendre au bureau de John Egan.

* * *

— *Come in!* (Entrez!)

Marie-Louise obéit.

Pénétrant par une immense fenêtre, les rayons du soleil éclairent un large pupitre de bois d'acajou. Derrière celui-ci, dans un fauteuil de cuir capitonné, Marie-Louise aperçoit un homme. Plutôt petit de taille, il a les cheveux striés de fils argentés et enduits d'un gel qui les fait luire sous la lumière d'une lampe de cuivre poli. Ses yeux au regard d'épervier sont cerclés de lunettes dorées. Une fine moustache taillée avec soin auréole ses lèvres qui emprisonnent le bout d'un cigare dont la fumée opaque flotte dans la pièce.

— *Come in! Come in!* dit-il en lui faisant signe de s'approcher.

Hésitante, Marie-Louise avance à pas lents en jetant des regards perplexes vers trois autres hommes qui se tiennent en retrait, sur la droite, près d'un bureau où des flacons de cristal remplis de liquide ambré voisinent des verres à moitié pleins.

— *Mr. Gordon, Mr. Kelly and Mr. Poitras*, annonce le patron de la Gotham en les désignant de la main.

Les trois hommes saluent la jeune fille d'un mouvement discret de la tête. Monsieur Poitras prend aussitôt la parole.

— Bonjour, mademoiselle Dufault.

— Bonjour, monsieur.

— Comme vous le savez, chaque semaine monsieur Egan fait un examen de la tenue de ses employées.

— Mon père m'en a avisée, rétorque aussitôt la jeune fille.

— À la bonne heure! Cela nous fera gagner du temps!

Il se tourne vers son patron et traduit les paroles de Marie-Louise. Dans un *Good!* retentissant, celui-ci se lève et vient s'installer dans un sofa de tissu damassé, imité par ses trois sbires.

La gorge sèche et le cœur battant, Marie-Louise ne bouge pas.

— Mademoiselle Dufault, voulez-vous tourner sur vous-même, s'il vous plaît? demande aussitôt monsieur Poitras.

Marie-Louise s'exécute.

— *Not too fast!* (Pas si vite!) s'exclame alors le patron de la Gotham Hosiery.

— Plus lentement, traduit monsieur Poitras.

Marie-Louise obéit. Un malaise indéfinissable s'installe en elle au moment où elle s'exécute. Elle voudrait tant mater le feu qui dévore ses joues, la sueur qui trempe sa nuque et surtout le poids qui s'est logé dans son ventre à l'instant même où elle a franchi cette porte!

Une fois son tour terminé, elle se racle la gorge pour se donner contenance, joint ses mains à la hauteur de sa taille et hasarde d'une toute petite voix:

— Est-ce tout ?

— *She should show more of her legs!* (Elle devrait nous montrer un peu plus ses jambes !) déclare le dénommé Gordon.

— *Of course! It's the only way we can test our products!* (Assurément ! C'est la seule manière que nous avons de tester nos produits !) ricane le dénommé Kelly en ajustant sa cravate rayée.

Monsieur Poitras passe une main sur son front dégarni et, visiblement mal à l'aise, s'approche de la jeune fille. Il lui dit alors sur le ton de la confidence :

— Mademoiselle, ces messieurs voudraient voir si les bas qu'ils produisent dans cette manufacture s'ajustent bien sur vos jambes. Alors, pourriez-vous remonter votre jupe, s'il vous plaît ?

L'incongruité de la question laisse Marie-Louise béate d'incrédulité. Elle dévisage un long moment son supérieur comme si ce dernier venait de débarquer d'une autre planète. Puis elle fixe tour à tour les visages des trois hommes bien campés dans leurs fauteuils et qui attendent qu'elle retrousse sa jupe comme une vulgaire esclave.

Jamais encore elle n'a été mise face à une situation aussi humiliante. Aussi dégradante…

— Je… je ne sais pas… si je… bredouille-t-elle, la rage au cœur.

— Faites ce qu'on vous demande, mademoiselle.

— Je n'en ai pas du tout l'intention, monsieur, l'avise-t-elle les dents serrées.

Monsieur Poitras s'approche d'elle et ajoute tout bas :

— Vous feriez mieux d'obéir, mademoiselle. C'est votre emploi qui est en jeu.

En jeu…

L'enjeu…

Un court instant, Marie-Louise imagine la déception sur le visage de sa mère, la sévérité du regard de son père, les minois attristés de ses benjamines, les remords dans l'image que le miroir lui renverrait dorénavant.

« Mais la honte ? » lui susurre la petite voix.

Celle-ci la persécutait déjà, ici, maintenant, devant ces hommes imbus du pouvoir de leur argent et portant atteinte à la dignité de sa jeunesse.

— *Hurry up! We don't have all day!* (Dépêchons! Nous n'avons pas toute la journée!) claironne le grand patron.

En proie à un véritable tourment, Marie-Louise fixe le bout de ses chaussures. Elle ne sait plus quoi faire. Dans sa tête, pareil au cri strident d'une sirène d'usine, un hurlement s'intensifie, emplissant son être tout entier. Elle voudrait crier à la face de ce grand patron son dégoût et son humiliation. À ce concert discordant s'ajoutent les paroles de son père:

« Marie-Louise est une bonne fille. Elle comprendra… »

Aujourd'hui cependant, devant cette situation aussi absurde, elle ne comprend rien. Rien de rien.

Serrant les poings, elle relève le menton et défie du regard ses bourreaux. Les yeux à demi fermés, elle les toise longuement, l'un après l'autre, les gratifiant de toute sa hargne silencieuse et de son dégoût infini. Puis, lentement, sans baisser les yeux, elle laisse glisser ses doigts jusqu'au rebord de sa jupe qu'elle empoigne d'un geste rageur avant de la relever, dévoilant ses longues jambes fines. Elle pivote une première fois. Puis une deuxième. Et une troisième fois. Elle amorce un quatrième tour, mais ne le termine pas. Ses paupières s'abaissent sur des larmes d'impuissance tandis que les pans de sa jupe retombent dans un froissement d'étoffe.

Un long silence s'ensuit. Monsieur Poitras toussote avant de demander :

— *Is it enough, gentlemen?* (Ça ira, messieurs ?)

— *Yes, yes. She may go, now,* (Oui, oui. Elle peut disposer, maintenant), annonce monsieur Egan.

Rouge de honte et d'humiliation, Marie-Louise prend congé aussi vite que possible. Dans le corridor qu'elle a longé quelques minutes auparavant, elle grince des dents.

Jamais encore elle n'a vécu pareille mésaventure, n'a connu pareille aberration. Elle garde la tête baissée. Elle ne veut surtout pas que ses joues en feu alimentent les rumeurs et les racontars qui risquent de se répandre dans toute l'usine à la vitesse d'un feu de broussailles par un jour de grande sécheresse.

— Pssst !

Elle coule un regard vers son amie Alex, qui lui lance un coup d'œil inquiet.

— Ça va? lui demande celle-ci.

Marie-Louise acquiesce en silence avant de presser le pas vers la place qu'on lui a assignée depuis le jour de son embauche. Sans attendre, elle pousse la pédale qui fait s'entrouvrir la jambe mannequin avec plus de force et de rage que jamais. D'un geste vif, elle la retourne, fixe chaque millimètre du tissu de nylon qui brille sous les néons à la recherche d'une imperfection, aussi minime soit-elle. Devant ses yeux, les fils s'entrecroisent, se tordent et se relâchent. Elle n'y voit plus rien.

Marie-Louise quitte inopinément son poste de travail et court vers la salle de toilettes où elle s'enferme à double tour. Elle appuie son front sur la cloison et laisse enfin couler ses larmes.

10

SUR UN AIR DE VALSE

La journée de travail est terminée. Dehors, la nuit s'est installée à moitié. En cette fin d'avril, les prémices de l'été, avec tout ce que cela comporte de stridulations de grillons, de vent chaud et de désir de vivre allègrement après la réclusion d'un trop long hiver, tenaillent tout le monde.

Le temps est à la liberté et à la folie...

Voilà presque trois semaines que Marie-Louise travaille à la Gotham Hosiery. Les longues journées de labeur la laissent pétrie de fatigue le soir, mais pas assez pour qu'elle se prive de calmes promenades dans les rues de la ville.

Sur la berge de la rivière Yamaska, juste à l'arrière du Club Nautique, des couples d'amoureux prennent place dans les chaloupes avant de s'éloigner à grands coups de rames sur le courant, se soustrayant ainsi à la clarté des réverbères qui longent l'esplanade, mais aussi aux regards des promeneurs.

— *Would you like to come with me?* (Veux-tu m'accompagner ?) demande Jeff à Alex qui se trémousse d'impatience.

— D'accord, mais à condition que Marie-Louise vienne avec nous, rétorque la jeune rouquine.

— Heu… non. Non, merci. Pas ce soir, bredouille Marie-Louise, consciente de jouer la rabat-joie. Vas-y seule. Je vais rentrer.

— Es-tu certaine ? interroge son amie.

— Oui. Ne t'en fais pas. Je connais le chemin par cœur.

Marie-Louise coule un regard vers la berge où une chaloupe vient d'accoster. Marguerite Daviau et Étienne en descendent les yeux brillants et le visage empourpré.

— Tiens ! Tiens ! Marie-Louise Dufault ! chantonne Marguerite en s'approchant. Tu parles d'une rencontre !

— Bonsoir, Marguerite.

— Tu te souviens d'Étienne ?

— Oui.

— Mouais… Elle ne me semble pas aussi sainte nitouche que tu le racontes, cette Marie-Louise, pour venir se promener par ici avec tous les matelots qui rôdent. Es-tu en chasse, la belle ? la nargue-t-il en la dévisageant de ses petits yeux durs comme des noyaux d'olive.

— Ce n'est pas du tout ce que vous croyez ! se défend Marie-Louise.

— Bah ! Laisse donc faire ! lui intime Marguerite.

Elle lorgne Francis O'Neil qui s'approche de Marie-Louise et sourit.

— Joli cavalier, dit-elle en désignant le nouvel arrivant d'un mouvement de tête. Toutes mes félicitations !

Marie-Louise tente vainement de s'expliquer, mais les amoureux s'enfuient en ricanant méchamment.

« Ces deux-là ne manqueront pas de cancaner à mon sujet et peut-être même de salir ma réputation », songe-t-elle avec dépit.

Maussade, Marie-Louise quitte la berge où Alex et Jeff s'installent dans une chaloupe, retenant entre ses dents serrées des jurons qui, selon la bienséance, ne doivent exister que dans le silence de ses pensées.

De son côté, Francis ne bouge pas. Il la regarde s'en aller, une lueur brillante au fond des yeux.

* * *

Marie-Louise marche à vive allure. Du bout de la langue, elle humecte ses lèvres que l'effort et le vent assèchent. Elle a chaud. Elle tourne à droite et longe la haute clôture de bois derrière laquelle s'élèvent une multitude de baraques de deux étages. Après quelques minutes, la promeneuse ralentit sa course et bifurque sur la rue Després. Plus loin se dresse une guérite surmontée d'une arche, d'où sortent les permissionnaires. Son attention se porte alors vers la cour intérieure. Des matelots s'entraînent au football.

Alex lui a raconté que d'excellents joueurs ont été recrutés pour former l'équipe Donnacona–Saint-Hyacinthe. En 1944, cette dernière a affronté les Tiger-Cats de Hamilton à la finale de la célèbre Coupe Grey et a remporté la victoire.

— *Look who's there!* (Regardez qui est là!)

Marie-Louise sursaute et devient, bien involontairement, la cible de sifflements admiratifs.

— *Hello, little darling! Do you need company?* (Hello, chérie! Veux-tu de la compagnie?) l'apostrophe un matelot.

Le ton moqueur éveille la panique chez la jeune fille. Le cœur de Marie-Louise bat aussi fort que les cloches d'une cathédrale. Sans demander son reste, elle déguerpit en courant, comme si elle avait le feu aux trousses.

Après quelques secondes, les sifflements et les rires des matelots s'évanouissent au loin. Au hasard de sa fuite, Marie-Louise tourne à droite et emprunte sans y penser une petite rue adjacente. Les notes d'une magnifique mélodie s'élèvent dans l'air. Vibrante et envoûtante, la musique atteint la jeune fille en plein cœur. Marie-Louise se dirige vers l'endroit où, elle le sait, se dresse le café de la Marine; ce lieu où les pensionnaires peuvent se délasser et prendre un verre en toute amitié. La musique du piano qui jaillit des fenêtres ouvertes l'ensorcelle. Comme un automate, Marie-Louise s'approche de la clôture, s'y arrête avant de se hisser sur un bloc de ciment tout près. Elle ferme les paupières, s'imprégnant des notes légères. Les paroles de Laurette, la manucure de la Gotham Hosiery, lui reviennent en mémoire :

« Des doigts de pianiste... »

Elle imagine ceux-ci courant sur les notes d'ivoire. La musique la transporte bien au-delà de cette enceinte. Loin. Très loin. Au plus profond du pays du rêve.

— *Hey, you!* (Hé, toi !)

Une voix tonitruante la tire brusquement de sa rêverie.

— *What are you doing there?* (Que fais-tu là ?) l'interpelle un soldat de garde en empoignant son fusil.

Comme sous le coup d'une baguette magique, la musique s'arrête instantanément. L'attention de plusieurs matelots agglutinés près de la clôture se porte vers la pauvre fille qui, dépitée de s'être fait surprendre, ainsi alanguie, quitte les abords du café à toute vitesse. Derrière elle, les sarcasmes et les allusions vont bon train. Marie-Louise s'écarte de la rue Nelson où les ramures des arbres jouent à colin-maillard avec la lumière des réverbères. Une fois hors de portée des yeux comme des voix, la jeune fille s'arrête enfin et reprend son souffle avant de replacer ses cheveux emmêlés.

Non loin de là, pareil à une sentinelle en faction, Henri Péloquin l'observe. Il ne bouge pas. Ne la hèle pas.

Par cette belle soirée, après une dure journée de travail, Henri a enfourché sa bicyclette, qu'il a pris soin de camoufler à moins d'un kilomètre dans un buisson d'aubépines, avant de finir le chemin à pied. Ses pas l'ont mené sur la rive nord de la rivière Yamaska. Il a passé au moins une heure à fixer l'onde où les barques des amoureux se relayaient sans cesse. Une fois, il a cru apercevoir l'amie de Marie-Louise. Son sang n'a fait qu'un tour à la pensée que celle-ci y était peut-être aussi en compagnie de ce Francis. Le jeune fermier a scruté la pénombre et cherché sa silhouette, qu'il était sûr de reconnaître entre mille. Heureusement, il ne l'a pas vue. Rasséréné, il a quitté la berge et a erré au hasard. Ses pas l'ont mené vers le café de la Marine d'où s'échappait une douce mélodie.

Puis, il l'a aperçue…

Une joie inespérée de lui parler enfin, de la connaître mieux peut-être, le fait sourire. Il amorce un geste, mais en même temps qu'il aperçoit le beau visage de Marie-Louise offert aux rayons de la lune, il voit son regard absent et ses joues enflammées. Il tourne la tête vers l'ouest avant de baisser la tête. D'un geste rageur, il serre la mâchoire avant de jeter le mégot de sa cigarette et de l'écrabouiller sous sa chaussure de cuir marron. Relevant le front, il défie le fantôme de ce matelot de malheur qui, là-bas, savoure probablement une victoire trop facilement gagnée. Il reporte son attention sur Marie-Louise, qui lisse maintenant sa jupe de cotonnade avant de replacer sa ceinture.

« Une fille à matelot, j'aurais dû m'en douter! » songe-t-il, déçu.

À pas rapides, Henri fonce vers le tunnel des piétons, bien décidé désormais à ne plus s'intéresser à cette fille qui cache trop bien derrière son air angélique une hypocrite de la pire espèce.

11

LA LOI DES HOMMES

Dans le salon familial, Clémentine et Marie-Louise sont assises l'une contre l'autre sur le canapé au velours élimé.

Après une autre journée passée à examiner des centaines de bas, après avoir aidé sa mère à préparer le souper, à ranger la vaisselle propre dans les armoires, après avoir vérifié les devoirs d'Armande, aidé ses petites sœurs à faire leur toilette avant d'aller au lit, Marie-Louise profite d'un moment de calme pour s'adonner aux travaux d'aiguille. Entre ses doigts agiles, le crochet de métal s'agite, passant et repassant dans les mailles qui formeront un ouvrage des plus soignés.

Bien calé dans son fauteuil, Damien prend lui aussi un repos bien mérité. De sa main droite, il brandit une pipe de maïs d'où s'exhale une forte odeur de tabac. De l'autre, il tient un verre rempli à moitié de bière d'épinette. Tous les trois tendent l'oreille vers l'appareil radio que l'oncle Émile a prêté à sa sœur préférée.

— *Mais voyons, Séraphin, tu ne peux pas faire ça! C'est contre la charité chrétienne!* geint la voix de Donalda, la vedette de ce radio-roman des plus populaires: *Un homme et son péché*, de Claude-Henri Grignon.

— *La charité, la charité! S'il fallait que je fasse la charité à tous les pauvres de la province, je dilapiderais rapidement le peu d'avoir que j'ai, la femme. Veux-tu nous faire manger du pain noir, viande à chien?* rétorque l'avare de sa voix rauque.

— Ça lui ferait changement des galettes de sarrasin sans beurre ni mélasse, la pauvre, réplique Clémentine, véritablement attachée au triste sort de l'héroïne.

— Une vraie esclave! déclare Damien en aspirant une bouffée de sa pipe de maïs.

— Il y a plus de Donalda que l'on pense dans les maisons, j'en suis sûre, enchaîne Clémentine. Des pauvres femmes dévouées au service de leurs maris et de leurs enfants, sans cesse à courber l'échine et à subir les humeurs de tout un chacun. Les hommes ne devraient pas avoir tous les droits sur leurs épouses!

— C'est vrai ça! approuve Marie-Louise. La loi devrait changer.

Elle délaisse son ouvrage avant de s'adresser directement à son père.

— Sœur Angélique nous a raconté qu'en Europe, et même au Canada, les femmes ont obtenu le droit de vote; mais pas encore au Québec. Il paraît aussi qu'en Angleterre, elles ont le droit de divorcer et...

— Si c'est ça l'enseignement que les religieuses donnent à nos filles, l'interrompt sévèrement son père, je suis bien content que tu n'ailles plus à l'école! Divorcer! Qu'est-ce qu'il ne faut pas entendre! C'est contre la religion, des affaires comme ça, ma fille! Si on donne le droit aux femmes de dire et de faire n'importe quoi à leur guise, les mariages et les familles vont aller au diable!

— Il n'y a pas que les garçons qui ont le droit de dire ce qu'ils pensent! affirme Marie-Louise, le rouge aux joues.

— Mon père a toujours clamé qu'il y avait trois sortes de gens qui ne pouvaient pas voter ou même signer un contrat : les enfants, les fous et les femmes. Ce ne sont pas les ragots d'une religieuse qui vont faire changer ça !

— Pensez-vous vraiment ce que vous dites, papa ?

— Depuis que le monde est monde, les hommes ont la charge des femmes et des enfants. Même si certaines personnes, comme ta tante Delphine, réclament le droit de porter le pantalon, de voter ou même de prendre la place des hommes, ça ne changera rien au fait que les femmes sont et demeureront toujours des êtres faibles et inférieurs.

Devant l'énormité de la réplique, Marie-Louise reste béate d'indignation. Elle qui a toujours cru que son père se démarquait des autres par son ouverture d'esprit et son sens de l'égalité découvre aujourd'hui sa vraie nature.

Le moment de surprise passé, la jeune fille plonge ses prunelles dans celles de son père et réplique sur un ton de défi absolu :

— Le monde change déjà, papa. La preuve, c'est qu'une faible fille inférieure, comme moi, travaille plus de cinquante-cinq heures à l'usine pour pourvoir à une partie des besoins de cette famille.

Ses sourcils formant un V menaçant, Damien la toise un moment, pince les lèvres, mais ne répond rien.

Dans le haut-parleur, la voix de Séraphin Poudrier s'élève, rauque et puissante :

— *Toi, la femme, t'as rien à dire ! Tu fais ce que je te dis. Un point c'est tout ! Le bon Dieu a mis les créatures au monde pour être au service de l'homme. Monsieur le curé le répète assez souvent dans son sermon en chaire. En plus, c'est écrit dans la Bible, et c'est pas aujourd'hui que ça va changer !*

Le grincement criard d'une porte, suivi d'une triste mélopée jouée au violon, rompt le silence. La voix de Donalda se fait entendre à son tour, implorante :

— *Quand donc pourrai-je vivre sans lui quêter le moindre morceau de pain ?*

La musique se fait plus présente. Plus enveloppante.

— *Quand donc n'aurai-je plus à vivre cette vie de sacrifices ?*

Des pleurs étouffés se joignent au son vibrant des violons. Clémentine renifle bruyamment.

— Pauvre Donalda! Ça me fend le cœur de l'entendre!

— C'est toujours comme ça, quand on vit un amour impossible, ajoute Damien en se levant et en allant baisser le volume de la radio.

— Qu'est-ce que tu en sais? interroge Clémentine d'un ton suspicieux. As-tu un amour secret?

— Qu'est-ce que tu vas imaginer là! Jamais de la vie!

— J'aime mieux ça.

Marie-Louise se lève à son tour et se dirige vers le solarium.

— Tu sors? demande Damien.

— Je vais faire une promenade.

— Ma foi! Tu y prends goût à sortir tous les soirs! dit-il encore.

— Je vais juste prendre un peu l'air.

— Ne rentre pas trop tard, l'avise son père, tu travailles demain.

— Vous dites vous-même que je suis très responsable. Avez-vous eu des reproches à me faire jusqu'à maintenant? Je ne me suis jamais levée en retard et j'ai…

— Tu n'as pas à nous convaincre, ma fille, l'interrompt Clémentine en lançant un regard noir à son mari. Tu n'es plus une enfant.

— Non, tu es devenue une femme. C'est encore pire, lance Damien.

Il évite de justesse la chiquenaude de Clémentine.

— Hé! Du calme, ma femme!

Cette dernière se tourne vers Marie-Louise.

— Va et amuse-toi! C'est de ton âge! Profites-en pendant que tu es encore jeune. Ce n'est pas quand la vie t'aura donné un mari et des enfants que tu pourras savourer ta liberté.

— Tiens, tiens! Est-ce une plainte, mon épouse?

Clémentine fait la moue et se tortille sur le canapé, visiblement mal à l'aise.

— Non, je suis contente de la vie que je mène. N'empêche que, quelquefois, j'envie un peu la jeunesse.

— C'est normal. On est tous un peu comme ça quand la vie nous rattrape avec son lot de responsabilités, de travail et de temps qui passe. Enfin! C'est la volonté du bon Dieu. Qu'est-ce que tu veux qu'on y fasse?

Clémentine lève le nez de son ouvrage, le temps de décocher un sourire complice à sa fille aînée.

— Bonne promenade, Marie-Louise.

— Bonsoir, maman! Bonsoir, papa!

12

L'IMPASSE

Il est près de vingt heures alors que Marie-Louise s'essouffle sur le chemin qui mène vers la salle de danse du Club Nautique. Les journées se font de plus en plus longues et, ce soir encore, le soleil rougit à peine l'horizon.

La jeune fille croise des couples qui, bras dessus, bras dessous, marchent lentement dans les rues, profitant de ces quelques heures de calme.

Lorsqu'elle franchit le seuil du Club, la musique forte l'importune tout autant que la fumée de cigarettes qui flotte en un nuage diaphane dans la salle. Elle reste un moment sur le pas de la porte, cherchant du regard une silhouette connue, mais n'en distingue aucune.

— Zut, murmure-t-elle, déçue.

Marie-Louise quitte les lieux et se dirige vers le bord de la rivière. Sur la berge, il n'y a plus de barques.

Dépitée, la jeune fille fait demi-tour, résolue à retourner chez elle bredouille, quand une voix cristalline l'interpelle :

— Marilou ! Houhou, Marilou !

Levant la tête, cette dernière aperçoit Alex qui accourt au bras de Jeff.

— On désespérait de te voir arriver, la semonce son amie.

— J'ai dû finir une tâche avant de quitter la maison.

— *Look who's here!* (Regarde qui est là !) s'exclame Francis en s'approchant de la jeune fille et en la saluant bien bas.

Le ton de Francis, mais surtout sa démarche titubante, laissent Marie-Louise perplexe.

— Je crois qu'il a un peu trop bu ce soir, lui confie Alex. Nous pensions aller faire un tour sur l'eau, mais ce n'est pas prudent. Laissons-le cuver sa boisson.

Alex attrape Marie-Louise par le poignet et l'entraîne vers une voiture rutilante au volant de laquelle un matelot inconnu a pris place. À ses côtés, une jolie blonde aux yeux noirs de khôl et à la bouche pulpeuse sourit de toutes ses dents.

— Je te présente Annette Chénier, dit Alex en montant dans la voiture. Son père est docteur. Il lui a prêté sa voiture. Viens-tu faire un tour avec nous ?

— Non, merci. Je…

— Ne fais pas tant de chichis et monte. On n'ira pas très loin, la rassure Alex. Allez ! Fais-moi plaisir !

— D'accord, mais je dois être de retour chez moi à neuf heures pile.

— Vendu ! Allez, monte maintenant.

Marie-Louise obtempère. D'un mouvement leste, Francis s'installe aussitôt à côté d'elle.

— On est bien trop serrés à l'arrière, s'offusque-t-elle.

— Mais non ! C'est juste le temps d'une petite balade. On peut très bien s'en accommoder.

Lorsque la voiture s'ébranle, l'exiguïté du véhicule oblige Francis à passer un bras autour des épaules de Marie-Louise, qui se raidit.

La voiture quitte soudain la route et bifurque vers la droite avant d'emprunter un chemin de terre.

— Où allons-nous? s'enquiert Marie-Louise, perplexe.

— Je vais vous montrer notre chalet, répond aussitôt la fille du docteur Chénier.

L'automobile pénètre bientôt dans un petit sous-bois avant de s'immobiliser. James éteint les phares et tourne la clef de contact. Le moteur se tait aussitôt.

Troublée, Marie-Louise ne sait plus quoi faire, ni quelle attitude adopter. Elle se sent mal à l'aise et bien démunie.

Elle coule un regard discret vers son amie Alex, quêtant son secours, mais celle-ci ne voit pas son désarroi, trop occupée à jaser avec son cavalier.

Comment va-t-elle se sortir de ce mauvais pas sans brusquer, voire sans fâcher son amie Alex? D'abord, où se trouve-t-elle? Comment convaincre la fille du docteur de la ramener chez elle à temps?

Désemparée, Marie-Louise lève la tête vers le ciel, quêtant dans le firmament une solution à cette impasse. Une voix lui parle du plus profond d'elle-même:

«Tu es responsable de ta conscience. Toi seule sais ce que tu as à faire...»

Dans un sursaut de lucidité, Marie-Louise se lève sur le siège, enjambe prestement le dossier et se retrouve en équilibre sur le coffre de la voiture.

— Qu'est-ce que tu fais là? lui crie Alex, stupéfaite.

Le pied de Marie-Louise glisse, égratignant la peinture. La jeune fille tombe à genoux et tente de se cramponner à quelque chose. Sa jambe gauche effleure la bande de métal du pare-chocs arrière. Son bas de nylon se déchire de haut en bas tandis qu'une longue estafilade apparaît sur sa peau. Du sang clair et rouge en jaillit aussitôt, tachant le bas de sa jupe fleurie.

— Tu es folle, ou quoi? crie encore Alex.

Marie-Louise ne l'écoute plus. Elle se relève en vitesse, bien décidée à quitter ce lieu maudit et cette voiture du diable. Elle s'éloigne en claudiquant. Derrière elle, les invectives vont bon train:

— Hé, la sainte nitouche, reviens tout de suite! s'écrie Annette Chénier.

— *Get back in the car, stupid girl!* (Remonte dans la voiture, idiote!) ajoute James.

Voyant que ses amis n'arrivent pas à la convaincre, Alex adopte un ton suppliant :

— Marie-Louise, reviens, je t'en prie. Par amitié pour moi.

— Avec une amie comme toi, lui crie Marie-Louise par-dessus son épaule, je n'ai pas besoin d'ennemie !

— Par tous les saints, remonte ! Nous allons repartir bientôt, tente-t-elle encore.

— Ni saints ni diables ne vont m'obliger à remonter dans cette voiture ! Je t'en passe un papier !

Alex veut aller la rejoindre, mais Jeff l'en empêche.

— *Let her go*. (Laisse-la partir.)

Il lève la tête vers Marie-Louise et lance d'un ton dédaigneux :

— *Go to hell, idiot!* (Va au diable, idiote !)

La vue brouillée par les larmes, Marie-Louise marche sans se retourner. Dans sa poitrine, une peur insidieuse se fraie un chemin et l'étouffe. Son cœur bat si fort qu'il résonne jusque dans ses tempes douloureuses. Derrière elle, le moteur de la voiture ne se fait pas entendre, signe que les responsables de sa déconvenue ne la suivront pas.

Marie-Louise emprunte un sentier qui s'enfonce davantage dans le sous-bois. Elle avance dans la nuit noire. La peur lui tenaille le ventre et elle se fait violence pour ne pas pleurer. Autour d'elle, des bruits et des craquements la font sursauter. L'idée de rebrousser chemin et d'aller retrouver Alex l'effleure un moment, mais son orgueil l'emporte et l'empêche de s'abaisser à quémander secours et pardon. Elle lève la tête vers le ciel où ne brille aucune étoile. Dans la noirceur qui l'environne, Marie-Louise éprouve un malaise indéfinissable qui remplace peu à peu la peur.

« Je vais arriver en retard. Papa et maman vont sûrement s'inquiéter », pense-t-elle.

Elle se penche à demi et examine son bas déchiré et sa jambe blessée.

— Il ne faut pas que ma mère sache ce qui vient d'arriver, murmure-t-elle. Jamais !

La jeune fille aperçoit soudain la lumière diffuse d'un lampadaire. Les contours d'un chemin de traverse se dessinent entre les herbes. Marie-Louise l'emprunte aussitôt, bien contente de quitter le bois et sa pénombre inquiétante. Après quelques minutes, une rue asphaltée croise le chemin de terre battue. Soulagée, la jeune fille y marche, évitant les quelques flâneurs qui se promènent dans la rue de La Bruyère, non loin de là. Elle bifurque sur la droite puis contourne un pâté de maisons avant de se faufiler entre les deux bâtiments qui marquent l'entrée de la cour de la demeure familiale.

Appuyé contre l'un d'eux, Henri Péloquin allume une cigarette.

— Que faites-vous là ? lui demande Marie-Louise sans masquer son étonnement.

— Je suis venu discuter avec votre père à propos du travail de…

— Papa n'est pas encore couché ? s'inquiète-t-elle.

— Il y a un moment qu'il est rentré. Pour ma part, je me suis attardé un peu, histoire de profiter de cette belle soirée.

Il fait une pause avant d'avouer :

— En fait, c'est faux. Je vous attendais, car je voulais vous…

À la vue des joues marbrées de larmes, des cheveux emmêlés qui retiennent encore prisonniers quelques rameaux séchés, il se tait illico. Son regard glisse alors sur le bas déchiré et sur le sang qui macule la jambe.

— Que vous est-il donc arrivé ?

Marie-Louise baisse le front, cherchant à se soustraire au regard inquisiteur du jeune homme. Un désespoir mêlé à un sentiment de honte infinie la terrasse. Elle cligne des yeux et s'admoneste intérieurement pour ne pas fondre en larmes. Elle toussote pour s'éclaircir la voix avant de répondre sur un ton faussement désinvolte :

— J'ai fait une mauvaise chute et je suis tombée sur le trottoir.

Henri encaisse le mensonge sans broncher.

— Comme c'est étrange ! Je ne connais aucun trottoir dans cette ville où poussent des fleurs de cardère.

— Pourquoi dites-vous cela ?

Henri s'approche lentement de la jeune fille et enlève quelques épines sur la manche droite de sa chemise.

Marie-Louise fond en larmes et baisse la tête, honteuse.

— Je dois rentrer chez moi, mais je ne sais pas comment je vais expliquer ça à mes parents.

Henri comprend tout.

— Le salaud! siffle-t-il entre ses dents.

— Ce n'est pas ce que vous croyez, se dépêche-t-elle de corriger. J'ai glissé en bas de la voiture et je suis tombée. Je me suis blessée contre le pare-chocs. Rien de plus, je vous assure.

Henri la fixe d'un air perplexe.

— Je vous le jure! ajoute Marie-Louise en plongeant son regard franc dans le sien. Il ne s'est rien passé qui puisse attenter à mon honneur, si c'est ce que vous croyez. Je suis capable de prendre des décisions éclairées.

La jeune fille fait une pause et baisse la tête.

« Je ne veux pas finir comme Germaine Dicaire… » songe-t-elle intérieurement.

Henri ne réplique pas. Il ne bouge même pas. La gravité de son ton lui fait prendre conscience que la jeune fille qui se tient devant lui n'est pas du tout comme il l'avait imaginée.

« Elle est franche et loyale. Elle ne ment pas. Je le sens », comprend-il, soulagé.

— Comment puis-je vous aider ? demande-t-il.

— Je sais que papa a confiance en vous. Maman aussi, d'ailleurs. S'ils croient que j'ai passé la soirée en votre compagnie et que, par un malheureux hasard, je suis tombée sur le trottoir, ils ne se douteront de rien…

— Je savais bien que cette histoire de trottoir était un mensonge, l'interrompt Henri.

— Je vous en prie, promettez-moi ! supplie Marie-Louise.

Un long silence s'installe entre les deux jeunes gens. Des bruits provenant de la maison prouvent qu'il y a toujours quelqu'un debout. Marie-Louise empoigne la manche de chemise d'Henri et l'entraîne vers le fond de la cour, sous l'ombre protectrice des cerisiers sauvages.

— Nous ne devons pas rester ici, annonce Marie-Louise, inquiète.

— Vous n'avez rien à craindre, je suis un gars correct. Votre père me connaît et me fait confiance. Il sait que je n'abuserais jamais d'une jeune fille.

L'allusion, à peine camouflée, la fait rougir de honte. Marie-Louise baisse la tête.

Dans la maison, le silence est revenu.

— Je crois que la voie est libre désormais, lui dit Henri.

— Je le crois aussi.

Délaissant les cerisiers, la jeune fille marche en claudiquant. Sa jambe lui fait mal. En gentilhomme, Henri lui offre son bras. Elle s'y accroche.

— Merci, Henri, lui dit-elle avec un sourire las.

— Tout le bonheur est pour moi, Marie-Louise, lui répond-il avec un sourire charmeur.

Les nouveaux complices et amis se dirigent sans tarder vers la maison des Dufault.

* * *

Le carillon de l'horloge sonne dix heures du soir quand, pareille à une Cendrillon, Marie-Louise entre dans la maison par la porte du solarium. Sur la pointe des pieds, elle se dirige vers le poêle où quelques braises subsistent. Elle enlève en vitesse son bas déchiré et le jette sur les braises. Le nylon se recroqueville instantanément et bientôt il n'en reste qu'une petite boule de fibres calcinées.

Une odeur de tissu brûlé flotte quelques secondes dans la cuisine silencieuse. Clémentine apparaît soudain vêtue de sa robe de chambre en chenille bleu ciel.

— Tu arrives donc bien tard, ma fille! lui dit-elle sur un ton de reproche. Ton père et moi commencions à nous inquiéter.

— Je n'ai pas vu l'heure.

— Étais-tu avec ton amie Alex?

— Non, j'ai rencontré Henri Péloquin et nous avons marché tranquillement jusqu'ici. Nous nous sommes arrêtés pour manger une glace.

Avisant les jambes de sa fille, Clémentine fronce les sourcils.

— Tu ne portes qu'un bas?

— L'autre avait une maille dedans et j'ai préféré le jeter tout de suite.

— Mais, mon doux Jésus, tu saignes!

— J'ai mis le pied sur un caillou que je n'avais pas vu et je suis tombée. C'est bête, mais pas grave!

— Va nettoyer ça tout de suite avec de l'eau et du savon. On ne sait jamais, avec la saleté qu'il y a par terre!

— Je voulais justement le faire avant d'aller au lit.

Clémentine bâille à s'en décrocher la mâchoire.

— Voyez comme vous êtes fatiguée, la sermonne sa fille. Allez donc vous coucher. Je vais faire de même.

— Tu as raison. La journée a été longue.

Elle lorgne la porte à demi fermée de sa chambre.

— Je te parie que ton père ronfle déjà, dit-elle avec un sourire coquin. Bonne nuit, ma grande.

— Bonne nuit, maman.

D'un pas traînant, Clémentine prend congé de sa fille qui se hâte vers la salle de bain.

Dehors, sur le trottoir d'en face, Henri Péloquin fixe un moment la façade de la maison endormie puis quitte les lieux, le cœur léger.

13

LE JOUR V

C'est aujourd'hui lundi, le 7 mai 1945. Cinq jours ont passé depuis la mésaventure de Marie-Louise avec Francis O'Neil. Cinq jours où elle a volontairement délaissé Alex et ses sorties au Club Nautique ou en ville pour se consacrer à la confection d'une courtepointe avec Clémentine. Pendant ces cinq jours, Henri Péloquin est venu aider Damien à la réfection de la clôture.

Du revers de la main, Marie-Louise essuie la sueur qui perle à son front. Elle lève les yeux vers l'horloge. Onze heures dix-sept.

« Cet avant-midi ne finira donc jamais ! » rechigne-t-elle, découragée.

Depuis son arrivée à l'usine, Marie-Louise travaille sans relâche, enfilant un bas après l'autre sur la jambe d'acier.

Elle garde le nez sur son ouvrage, bien décidée à ne pas se laisser distraire. Elle doit à tout prix augmenter la cadence si elle veut gagner plus d'argent et acheter un cadeau d'anniversaire à Clémentine. La magnifique paire de gants de cuir noir qu'elle a vue au magasin lui revient en mémoire.

«Maman mérite bien ça!» songe-t-elle encore.

Du bout de la langue, Marie-Louise humecte ses lèvres sèches et replace une mèche rebelle qui retombe obstinément sur son front. Comme elle voudrait arrêter, l'espace d'un battement de cœur, ce rythme infernal! La vue brouillée, la jeune fille ferme les yeux afin de se soustraire aux reflets aveuglants des néons sur le nylon et l'acier.

— Ça va? lui demande sa compagne de droite.

Marie-Louise rouvre les yeux et se remet au travail.

— Oui, oui, la rassure-t-elle sans la regarder.

Soudain, sans raison aucune, les sirènes se mettent à hurler. Toutes les travailleuses se figent et se regardent d'un air hébété.

Se frayant lentement un chemin entre les rangées des machines abandonnées et muettes, une rumeur se glisse, s'amplifie, pour devenir un cri qui se mêle aux hurlements des sirènes de toutes les usines avoisinantes :

— LA GUERRE EST FINIE ! LA GUERRE EST FINIE !

Dans un bruit de tonnerre de chaises renversées, de cavalcade sur le plancher de bois, tout le monde quitte son poste et se précipite à l'extérieur de l'usine.

— On a gagné ! On a gagné la guerre ! crie Alex à Marie-Louise, encore abasourdie par la nouvelle.

— Allons rejoindre les autres, insiste Alex en lui empoignant le bras et en la traînant presque à l'extérieur du bâtiment.

Dans les rues, sur les trottoirs, sur la pelouse, partout les gens rient, crient de joie, s'embrassent et dansent. Dans le ciel, les pigeons effarouchés volent dans tous les sens, apeurés surtout par la cacophonie que provoquent les sirènes et les cloches de toutes les églises qui sonnent à fendre l'air.

Autour d'elle, Marie-Louise aperçoit des femmes dans les bras les unes des autres, des hommes à qui l'émotion fait monter les larmes aux yeux. Des larmes qu'ils se dépêchent d'essuyer du revers de la main. Levant la tête, elle aperçoit monsieur Egan, debout à sa fenêtre, un cigare entre les lèvres, l'air inquiet.

La jeune fille songe alors que le temps de l'effort de guerre achève et que, dans quelques années ou quelques mois peut-être, beaucoup d'usines fermeront leurs portes. Elle imagine aisément la misère qui fondra sur le pauvre monde si cela devait arriver. Elle pense à sa famille et au soutien financier qu'elle a su lui apporter. En son for intérieur, elle se jure de continuer à travailler afin de fournir à Antoinette et à Armande la chance de s'instruire. Elle voit déjà son frère Germain reprendre sa place à la table familiale. Sa pensée va soudain à tous ces garçons venus des plus lointains pays du Dominion et qui, bientôt, retourneront dans leur famille.

— Viens, on va fêter! lui annonce Alex en la tirant à travers la foule en liesse.

Les deux amies suivent le flot de gens qui se pressent vers la rue des Cascades. Aux travailleurs se mêlent les élèves des différentes écoles de la ville. On leur a donné congé afin qu'ils célèbrent eux aussi avec la foule euphorique.

Marie-Louise et Alex s'arrêtent en face du théâtre Corona. La rue des Cascades est noire de monde. Des gens ont installé des haut-parleurs autour du Marché-Centre. Une musique endiablée invite à la danse. Arrivant de la rue Mondor, apparaît la fanfare du 22ᵉ Régiment, suivie du H.M.C.S. Band, mieux connu sous le nom de «fanfare des Matelots».

C'est la fête!

— Regarde là-bas! C'est Jeff! s'exclame soudain Alex.

Elle se penche un peu plus vers sa copine et lui glisse à l'oreille:

— Je crois bien que je suis amoureuse de lui.

— Ma pauvre Alex! Tu vas te faire du mal. La guerre est finie. Ton Jeff va retourner chez lui, en Nouvelle-Zélande, et tu ne le reverras plus jamais!

— Cesse donc de faire la rabat-joie! Tu parles comme ta mère!

Elle reporte son attention vers les matelots qui, au pas de parade, attaquent *Sing, Sing, Sing*, de Benny Goodman, un des compositeurs de l'heure aux États-Unis, et dont la musique égaie les foules dans le monde entier.

Alex agite la main en direction d'un des trombonistes.

— Hou, hou, Jeff! crie-t-elle.

Avant d'attaquer sa partition, le jeune homme tourne la tête vers elle et, d'un clin d'œil discret, lui fait comprendre qu'il l'a reconnue.

— Comme il est beau! se pâme Alex.

Les matelots rabattent leurs instruments sous leur bras gauche d'un mouvement sec. Puis, sans rompre la cadence, ils tournent la tête vers le balcon du Marché où les dignitaires de la ville ont pris place aux côtés du capitaine A. P. Musgrave, officier directeur de l'École des Signaleurs. Sur l'ordre d'un des caporaux, les marins saluent en posant trois doigts au-dessus de leur tempe droite. Ce faisant, Francis O'Neil sourit à Marie-Louise, qui l'ignore complètement et reporte son attention vers le trottoir opposé. Elle aperçoit Marguerite Daviau et son amoureux Étienne, enlacés. Cette dernière lui fait un signe amical de la main.

Marie-Louise lui sourit, sereine.

«Maintenant que la guerre est terminée, je pourrai peut-être retourner à l'école!» s'encourage-t-elle.

Marie-Louise sait que les choses vont changer. Finis les craintes, le rationnement et le renoncement. L'avenir qui se dessine est porteur de liberté et de bonheur. Pourtant, elle pressent très bien que rien ne sera plus jamais pareil. La fillette de quatorze ans qui a quitté les bancs d'école contre sa volonté a cédé la place à une jeune femme qui croit que le destin lui réserve d'autres surprises.

Tout comme les ouvrières qui ont géré leur vie à leur guise pendant près de cinq années, elle appréhende le jour où les conscrits reprendront le chemin des usines et viendront y peiner à leur place.

«Maintenant que la paix est revenue, qu'adviendra-t-il de nous?» s'inquiète Marie-Louise.

14

LE RETOUR DES RÊVES

À la suite des travailleurs, Marie-Louise franchit le seuil de la Gotham Hosiery. Derrière elle, une voix flûtée s'élève :

— Marilou ! lui crie Alex, qui la rejoint en courant.

La première sirène de l'usine retentit.

— Jeff est parti hier.

— Je suis désolée.

— Ne t'en fais pas pour moi, la rassure Alex. Tu avais raison. Ce type n'était pas pour moi. Il m'a avoué que sa fiancée l'attendait. Tu parles… J'ai appris que tous les matelots quittaient le camp dans moins de deux semaines. L'École des Signaleurs ferme ses portes à la fin du mois de juin.

— Que vont-ils faire des bâtiments ?

— Un hôpital pour les vétérans.

— C'est une bonne idée.

— Surtout avec tous les soldats qui reviennent au pays. Il paraît qu'ils vont avoir besoin de bénévoles pour soigner les blessés. J'ai donné mon nom. On ne sait jamais. Peut-être vais-je y rencontrer un amoureux !

— Ça t'arrivera bien un jour ou l'autre.

— Je l'espère ! Je ne voudrais pas coiffer le chapeau de la Sainte-Catherine !

— Allons, ça ne t'arrivera jamais !

— Qui sait ?

Alex soupire bruyamment, jette un coup d'œil à ses ongles au nacre écarlate avant de demander :

— Viens-tu au cinéma avec moi, ce soir ?

— Pas ce soir. J'ai autre chose à faire.

— Ah bon ! Quelque chose d'important ?

— De très important… C'est ma première sortie officielle avec mon amoureux.

Alex est estomaquée par la nouvelle.

Heureuse de l'effet produit, Marie-Louise lui décoche son plus beau sourire.

— Viens à la maison, je te le présenterai. Tu verras, Henri est un garçon formidable.

Madame Delisle apostrophe vertement les amies.

— Alex Fontaine et Marie-Louise Dufault! Au travail!

Ces dernières s'exécutent, non sans s'être lancé des clins d'œil complices.

Marie-Louise s'installe devant sa machine. Elle dépose son sac à main par terre, juste à ses pieds. Dans celui-ci repose un petit carnet rouge duquel elle a arraché les pages relatives au mois d'avril. Des pages où les misères de la guerre désormais terminée n'ont plus leur raison d'être.

À la page du 7 mai 1945, une seule phrase apparaît, tracée d'une écriture soignée :

Vive la paix !

Juste en dessous, Marie-Louise a tracé un prénom en fines lettres dorées :

Henri

Bercée par le son des machines, Marie-Louise se permet de rêver à ce que sera sa vie désormais. La guerre, avec son lot de souffrances et de renoncements, a cédé la place à l'espoir et au rêve. Enfin…

Dans une dernière prière, Marie-Louise remercie le destin malicieux qui lui a fait rencontrer l'amour par un chemin détourné.

Table des matières

Les titres de la collection Atout

* Lecture facile   ** Lecture intermédiaire   *** Lecture difficile

QwSmm	DATE DUE		
22/02/08			